EXERCICES DE LA PERTE

DU MÊME AUTEUR

LES DISCIPLES DE SCHULZ, éd. Noir sur Blanc, 2001.
SINGER, PAYSAGES DE LA MÉMOIRE, éd. Noir sur Blanc, 2002.
UNE HISTOIRE FAMILIALE DE LA PEUR, Grasset, 2006.

AGATA TUSZYŃSKA

EXERCICES DE LA PERTE

Traduit du polonais par
JEAN-YVES ERHEL
avec le concours de l'Instytut Ksiazki©Poland

BERNARD GRASSET
PARIS

L'édition originale de cet ouvrage a été publiée par Wydawnictwo Literackie,
à Cracovie en 2007 sous le titre :

ĆWICZENIA Z UTRATY

ISBN : 978-2-246-73931-9

… et de ne pas t'abandonner

Tu es ma destinée
Tu es mon livre
Tu es ma vie

L'homme que j'aime et avec qui je devais vieillir est mortellement malade. Le verdict est sans équivoque. Il n'y a pas eu de signes avant-coureurs. Dans un mouvement de défense, nous parlons d'amour. Nous allons nous battre, nous serons ensemble. Nous n'allons pas capituler.

Cela sonne de manière exotique. Joliment. *Glioblastome multiforme*, la plus féroce des tumeurs au cerveau. Degré quatre de malignité, et toute-puissante. Elle ne laisse aucune chance, elle tue en l'espace de quelques mois.

Il n'y a pas eu de signes. Il n'y a pas eu d'avertissement.

Cela ne peut être approché avec des mots, ai-je pensé.

D'aussi loin que je me souvienne, pour la première fois les MOTS sont impuissants. Ils sont détachés de la réalité qu'ils devraient saisir, à laquelle ils pourraient ou devraient apporter un soulagement. Je ne maîtrise déjà plus les mots. Ça ne fonctionne pas. Le désespoir ignore les mots.

Il faut aborder cela avec des mots. Je ne puis expliquer cette nécessité.

Cette vie, nous l'avons partagée pendant plusieurs années. D'un continent à un autre, de loin, par petits bouts arrachés au temps pris par nos occupations à l'un et à l'autre, des jours, une semaine, rarement davantage car il y avait les obligations, les responsabilités, les liens, ses enfants, mes étudiants, les traductions, les livres. Notre temps à nous devait justement commencer. Nous nous étions choisi une adresse varsovienne commune.

A l'hôpital de Toronto, cependant, nous examinons sur l'écran les coupes sombres de sa tête. La première, la deuxième, la dixième, la quinzième. La tumeur évoque une puissante étoile de mer dont les bras s'efforcent d'étreindre le plus vaste espace possible. Elle comprime les nerfs optiques. Elle n'empêche pas de comprendre. Le chirurgien choisit avec précision des mots définitifs. Ils doivent nous aider à mettre le monde en ordre. Le monde « terrestre » peut bientôt cesser de nous concerner.

Le divin Scénariste – qui planifie, qui met à l'épreuve, en qui je ne crois pas, qui n'est pas (qui est) – nous a tendu un piège.

Nous allons nous battre contre ce destin, contre la médecine, contre des statistiques.

Nous voulons survivre.

Une année de ce trajet a passé. Jour après jour, insomnie après insomnie, soirée de promotion d'*Une histoire familiale de la peur*[1], accomplissement de mon rêve littéraire et de sa présence à mes côtés, deux semaines plus tard voyage au-delà de l'océan, vendredi saint, aéroports, Pâques dans une salle d'attente et un avion, hôpital, tumeur qui tue, moi auprès de lui dans le monde quel qu'il soit, opération, les six plus longues heures devant une porte, réveil.

On lui a ouvert la tête à deux reprises en un mois, il est mort, il est ressuscité, nous nous sommes aussi mariés deux

1. Traduit du polonais par Jean-Yves Erhel, Grasset, 2006. *(Toutes les notes sont du traducteur.)*

fois après quatorze années de vie commune, en fauteuil roulant et sous la *houppah* où j'ai reçu le prénom de ma grand-mère tuée par un éclat d'obus à la fin de la guerre.

Nous avons pleuré. Nous avons pleuré sur nous-mêmes, sur le destin.

On a pleuré sur nous. On a pleuré sur soi-même. Le destin persiste.

Il a passé plusieurs mois sur un lit d'hôpital. Tous deux étrangers dans l'univers de la maladie. Lui, humilié par la dépendance. Moi, étonnée par ma capacité d'adaptation. Son retour à l'enfance. Changement de rôles. Révolte contre le monde, sentiment d'injustice. Cultiver l'espoir en dépit de tout et de tous, car la séparation est impossible. Car il faut que la souffrance ait un sens. Car nous ne voulons pas nous rendre. La volonté de vivre veille sur le don de la vie. Encore, toujours.

Nous avons survécu. Nous avons survécu à sa mort.

Son courriel est arrivé le 23 mars 2005 au matin. Semaine sainte. Mercredi. *Je suis à l'hôpital. On soupçonne une tumeur au cerveau. Ne viens pas. Je t'informerai.*

J'ai pensé : plaisanterie ? Il pourrait être à ce point cruel ? La possibilité que ce fût vrai était par trop absurde.

H. s'était envolé de Varsovie quelques jours plus tôt, en pleine possession de ses moyens. A peine s'était-il plaint de la fatigue et d'un mal de tête. Auparavant aussi il s'était plaint. Il travaillait trop. Trop de vols vers l'Asie, la nervosité, l'effort, la tension permanente, les changements de fuseau horaire et d'espace géographique.

Je ne m'étais pas inquiétée lorsqu'il m'avait parlé, quelques jours plus tôt, au téléphone, d'une douleur à l'œil droit et d'un léger accrochage en voiture. Ça arrive, avais-je pensé, même à un conducteur aussi chevronné. Je ne m'étais pas arrêtée à cette migraine et à sa visite au poste de secours. On lui avait fait une piqûre, il était rentré à la maison. Je n'avais eu aucun pressentiment. Je n'avais pas trouvé suspect qu'on l'oriente vers un oculiste. C'était le jeudi soir, la semaine de Pâques. Je n'ai appris la suite des événements qu'après l'arrivée de mon avion. Examens approfondis en neurochirurgie, tumeur faisant pression sur le nerf optique, analyses, tests, radios. Nuit.

Cette information sur l'écran de mon ordinateur. Je la fixe. Elle ne disparaît pas. Elle se moque de moi. De nous.

J'ai téléphoné à maman. J'ai téléphoné à mon père. J'ai éclaté en sanglots. J'ai téléphoné à Ewa, la plus proche. Je ne pouvais parler. J'ai bu un grand verre de Martel. J'ai retenu un billet sur le premier vol pour Toronto. Le samedi saint, avant la Nuit pascale. Par Francfort.

4 avril 2005

Dix jours depuis le dernier diagnostic, je te parle, je te parle constamment :

Mon bien-aimé, jamais nous n'aurions imaginé cette torture. C'est arrivé. Je vais tout faire pour que tu sois en forme. Pour que tu sois celui que tu étais avant. Celui qui est mien, dont je me souviens, que j'aime.

Je trouve toutes les paroles de tendresse, je me les rappelle, je les décline, je te les murmure lorsque tu es allongé tout près, encore tout près.

Notre chambre a de grandes fenêtres ouvertes sur le jardin et la lumière. Ta tête sur l'oreiller. Intacte. Comme changée depuis que nous savons que quelque chose la ronge du dedans. Qu'est-ce donc, ce quelque chose ? Je cherche la peur sur ton visage et ne la trouve pas. Peut-être une ombre, un écho dans tes yeux.

Nous allons faire l'amour. Nous allons travailler ensemble. Écrire, lire, réfléchir. Nous allons voyager et faire du ski. Je le crois. Tu le crois ? Il faut qu'il en soit ainsi. Nous sommes forts. De nous-mêmes. De l'amour. Tiens bon.

Je t'aime. Je veux être avec toi toujours et partout. Il n'est personne de plus cher au monde. Sache-le. Souviens-toi. Et laisse-toi aider.

Le mariage aura lieu. Nous serons mari et femme. Nous aurons tout ce que nous n'avons pas eu jusqu'alors.

Je serai ton appui. Car c'est toi qui m'as choisie, car c'est moi qui t'ai choisi. Je t'aime et t'admire et je sais que seule je n'aurais pas su être aussi brave. Tu dis qu'aimer c'est donner. Jamais auparavant je ne l'avais éprouvé avec autant de force. Prends ma tête, mon cerveau, mais sois à mes côtés. Nous endurerons tout, nous le supporterons. Il nous faut affronter le destin. Tous les deux. Je ne le laisserai pas nous faire du tort.

14 avril 2005

Courriel d'Henryk aux amis – Promesse.

Mes chers, j'avais promis d'écrire, j'écris donc quelques mots.

1. – La bonté et la chaleur humaine dont j'ai été entouré ces temps-ci sont à l'image des petits livres sereins de ma radieuse, stalinienne enfance. Mon ami me dit que tant d'amabilité venant des gens à la fois, cela n'arrive qu'avec le temps et que je dois m'en réjouir car ça en vaut assurément la peine. Seulement il ne comprend pas très bien pourquoi j'ai attendu si longtemps.

2. – J'ai en outre le sentiment d'un certain – très net – malaise mental. Je n'ai pas à expliquer que ce que j'aime le plus au monde c'est dire aux gens ce qu'il leur faut penser – mais toujours sur des sujets qui doivent susciter une certaine passion ou, à tout le moins, de l'intérêt. Ici, c'est différent et je dirai franchement que toute cette affaire me semble primitive, mécanique, dénuée d'éléments de narration littéraire et indéfiniment répétitive si on en exclut le nom et les détails, au fond, peu intéressants. Donc, dès lors qu'il n'y a là ni littérature ni récit, c'est trivial par définition et cela relève, de surcroît, de la sphère de l'intimité physique – tout comme, pardonnez-moi, les détails concernant leurs besoins que certains patients rapportent avec délectation aux médecins. « Madame, vous m'avez prescrit ces cachets et ensuite, pendant trois jours, je n'ai pas pu aller aux cabinets. » Quelqu'un attend-il vraiment cela de moi ? En un certain sens, j'en ai bien l'impression.

3. – J'ai été confronté à un besoin de connaissance immédiate qui m'était jusqu'alors inconnu. « Comment saurons-nous si tu t'es réveillé ? » Si je ne me réveille pas, vous le saurez certainement, car cela au moins sera digne d'intérêt. Hélas, les chances sont moins que minces. « Comment saurons-nous comment tu te sens ? » Eh bien j'ai découvert en moi une faculté de prévoir l'avenir et je peux déjà informer aujourd'hui tous ceux que cela intéresse, avec un degré fort élevé de probabilité, que je me sentirai tout couillon – comme quiconque a subi un curetage dans un endroit alternatif de sa personne, et concrètement dans la citrouille. Mais ensuite je me sentirai mieux et j'écrirai certainement de nouveau quelque chose.

4. – L'unique élément narratif tout juste intéressant me semble être le fait que cela s'accorde si bien à ma propre vision de moi-même – la cochonnerie que j'ai moi-même élevée, là, à partir d'une simple cellule mutante, répond-elle à mon misérable caractère et à ma personnalité franchement répugnante ? La science affirme autre chose, mais la science-fiction s'est toujours amusée avec des questions de ce genre.

Je voudrais assurer les personnes qu'intéresse la prévention de cette saleté que n'ont rien de commun avec cela ni le stress, ni le gras du jambon, ni les téléphones portables, ni des années entières de gauloises sans filtre, ni les voyages en Chine ou la mauvaise conduite. Rien de ces choses-là. Nul plaisir n'en est responsable. J'ai lu quelque chose sur un Népalais de dix-sept ans qui n'avait jamais vu d'ampoule électrique et sur ma compatriote, Esquimaude octogénaire sortie de son igloo, qui a passé sa vie à mâcher des morceaux de morse. Je ne suis pas allé au Népal et n'ai pas mangé de morse.

Voilà pour aujourd'hui. Votre H.

26 mars 2005

Prisonnière à Francfort, j'avais neuf minutes de retard pour mon avion, la réparation d'un compresseur à l'aéroport de Varsovie.

Poisse, prédestination ? Pâque solitaire à l'aéroport. Signe de quoi ?

Qui suis-je dans l'espace interplanétaire de l'aéroport de Francfort ? Je m'envole immédiatement vers toi, sans hésitation et sans exhortation. Je ne puis faire autrement. Qui suis-je ? Ta femme, amante, épouse manquée. La mère inaccomplie de nos enfants inexistants. L'interprète des rêves ou du testament d'une maladie mortelle ?

27 mars, 10 h 30

Je mange un œuf de Pâques à la cantine de l'aérogare. Rose-violet. Avec qui le partager ?

Des foules de gens alentour, passagers de la mauvaise fortune.

J'ai une carte d'embarquement. Peut-être vais-je décoller.

Joyeuses fêtes. Je n'ai jamais su à quoi servent les fêtes. A l'aune de quelle allégresse doivent-elles se mesurer ?

La foi peut triompher de l'inconcevable, écrit Karola. *Je connais la réponse théorique : il faut savoir faire confiance. Croire, en particulier, quand la logique déçoit.*

Déclinaison : insomnie, non-sens, impuissance, irrésolution, indécision.

Mais vous, vous croyez au Ciel. Moi pas. C'est pourquoi je ne permets pas que H. nous abandonne.

Tu m'as accueillie à la maison. C'était Pâques, et rester à l'hôpital, vu le planning des fêtes, n'avait aucun sens. Aucune solution philosophique au diagnostic oncologique ne nous attendait, nulle révélation sur le traitement ni aucun soulagement apporté par une décision. Tu m'as serrée plus ou moins machinalement contre toi, tu as dit : *C'est bien que tu sois là,* et tu as fait savoir que nous avions une grande guerre devant nous.

Tu as exposé tes conceptions du combat, tu as planifié l'épreuve à venir : *C'est mauvais, un méchant bestiau dans la tête, mais j'en viendrai à bout, je le promets, je le jure, il ne fait pas de doute que j'en sortirai. Par votre aide, avec vous, pour vous, ça ne fait pas l'ombre d'un doute. Je suis préparé à une manœuvre répugnante, je la supporterai, je ne me rendrai pas. Ce n'est pas cela qui me fera céder. Je n'ai pas peur du combat.*

Tu me l'as dit une fois, deux, cinq, tu l'as dit à tes deux fils de quatorze et dix-huit ans, à leur mère, aux amis, à tous à la fois et à chacun en particulier. Directement et au téléphone. *J'en viendrai à bout. Je le promets. Je le dois.*

Tu as redit des phrases de Frank, un ami qui a mené un combat de plusieurs années après une greffe du foie : *Tu n'as maintenant qu'un seul but, une seule tâche, concentre-toi sur toi-même, mobilise toutes tes forces, le plus important c'est toi. Lutte pour toi. Oublie les autres obligations. Maintenant tu ne dois plus te soucier que de toi- même.*

Personne, jamais, ne t'a dit comment vivre. Personne n'a osé dire comment tu devais mourir. C'est ton affaire, ton destin, ton écriture et l'expression de ton visage. Pas de mort, mourir n'existe pas. Tu m'as juré protection et amour, il ne peut en être autrement.

Tu ne vois que ce qui est devant toi. Rien sur les côtés. Dégradation du champ de vision. Te voilà soudain comme un cheval muni d'œillères, toi qui voyais tout et semblais avoir non pas une seule mais plusieurs paires d'yeux. Et une derrière la tête, certainement.

Et puis :

Je ne conduirai plus de voiture.

Toi, passionné de moteurs, qui aurais donné beaucoup pour les voitures, leurs lignes, leurs modèles, leurs couleurs – maintenant tu dis nonchalamment : *Rien à faire. Plus jamais. Il y a des soucis bien pires.*

Je ne pourrai plus bronzer, m'étendre au bord de l'eau, aller me promener sur la plage. Mais de toute façon je n'aimais pas ça. J'étais allergique, tu te rappelles ?

L'alcool ? Même un verre de vin ? C'est peut-être mieux.

Tu as accepté sans une plainte, sans sourciller, les étapes successives de la perte. Il est une chose que tu n'as jamais acceptée : l'attente passive de la mort. Sans hésiter, tu as pris une décision.

15 avril 2005

Que vais-je faire de ces six heures pendant lesquelles l'équipe en blouses blanches se penchera au-dessus de ta tête fendue ? Je l'ignore. Je t'ai laissé dans une salle rappelant une chambre froide. On t'a déshabillé. Les anesthésistes posaient constamment ces mêmes questions auxquelles tu répondais de façon monotone. Prénom, nom, date de naissance, adresse, maladies contractées, éléments métalliques dans le corps. Allergies. J'étais assise tout à côté. Longs préparatifs. Je pressais ta tête contre moi, le coiffeur t'avait coupé les cheveux la veille. Tu ne voulais pas des services hospitaliers en ce domaine. Je n'ai pas pleuré et je ne pleure pas. Pas encore maintenant. Finalement il faut y aller. On t'emmène. Au revoir, dans quelques heures. Souviens-toi, souviens-toi de Piotr Plaksin, commençons par le commencement. *A la gare de Chandra Unynska/Quelque part dans le district de Mordobijsk/Le télégraphiste Piotr Plaksin/Ne savait pas jouer de la clarinette.* Tuwim [1] nous viendra en aide. Notre poème, notre Signe. Que c'est bien toi, que tu te souviens. Que c'est bien nous. Je regarde derrière toi. Je sors quand le lit métallique à roulettes disparaît derrière la porte. C'est le moment de prier. Je ne sais pas prier. Ou peut-être n'ai-je personne à prier. L'homme est mon Dieu. Quand ils vont te mutiler, qu'enlèveront-ils ? Ana attend en bas.

Je suis au centre et à l'extérieur de ce tableau.

---

1. Julian Tuwim (1894-1953) : le plus éblouissant des poètes polonais de l'entre-deux-guerres.

La première mention du cerveau figure sur un papyrus de l'Égypte ancienne considéré comme le plus vieux manuel de chirurgie par les historiens de la médecine. Le rouleau mesure environ cinq mètres, il a été acheté en 1862 à Louxor par le collectionneur américain Edwin Smith. Un demi-siècle plus tard, celui qui était alors le directeur de l'Oriental Institut de Chicago l'a déchiffré. Les descriptions des lésions de la tête dont souffraient les esclaves travaillant à la construction des pyramides lui semblaient particulièrement intéressantes. L'auteur du papyrus affirmait sans aucune ambiguïté que les traumatismes crâniens pouvaient avoir de sérieuses conséquences, par exemple une raideur de la jambe ou la paralysie du nerf facial.

Mais les Égyptiens et les Mésopotamiens, les Hébreux et Homère lui-même considéraient le cœur comme le siège de l'intelligence et des sentiments, pas le cerveau *(egkephalos)*.

Ce sont deux médecins grecs venus d'Alexandrie, principal centre commercial et culturel de l'Orient hellénistique, qui ont étudié le cerveau pour la première fois. C'était plus de vingt ans après la mort d'Aristote.

Le roi Ptolémée Ier Sôtêr, vers l'an 300 avant notre ère, a appelé l'un d'eux, Hêrophilos de Chalcédoine, au poste de médecin ordinaire. Le premier anatomiste et son assistant menèrent d'ambitieuses études anatomiques. Hêrophilos a décrit le cerveau et le cervelet, les méninges, les cellules du cerveau. Il a fort correctement observé que les nerfs sont reliés aussi bien au cerveau qu'à la moelle épinière. Il a transféré le siège de l'âme aux cellules cérébrales.

On ne peut éliminer cette tumeur dans sa totalité, elle est comme une étoile. On en a extrait le corps, ou bien la moelle, ou bien le cœur des ténèbres. Les branches de l'étoile-astérie, ses serres, sont agrippées au tissu délicat du cerveau, impossible de les tailler en suivant leur dessin comme un découpage de papier. Tout effleurement du scalpel à cet endroit nous dépouille de notre sensibilité, de notre patience, de notre douceur. Il entaille ce qu'il y a de plus délicat.

Au bout de quelques jours tu fais tes premiers pas. Plus tard encore tu exerces ta main gauche, faisant passer de droite à gauche des amandes collées sur une bandelette. Au-delà de la fenêtre, neige d'avril. Tu testes l'agilité de ton corps. Tu luttes contre la faiblesse et la fatigue.

Je suis à tes côtés parce que tu te sens mal, parce qu'il fait froid, que c'est pénible, parce que tu as trente et quelques agrafes sur la tête, parce que tu apprends à marcher. Parce que la main gauche tremblote, que la jambe gauche refuse tout service. Parce que je suis tienne, parce que tu es mien. Parce que nous ne savons pas nous soumettre. J'entends constamment tes pleurs bien que tu n'aies pas pleuré. Ni alors, ni plus tard.

Les statistiques ne m'intéressent pas. Tu n'en fais pas partie. Je ne veux pas savoir qu'au XXIe siècle un homme sur trois et une femme sur quatre sont touchés par le cancer. Cinq millions de personnes meurent chaque année de maladies néoplasiques. 55 % des personnes atteintes sont enregistrées dans les pays développés. Les statistiques ne m'intéressent pas. Ni ceux qui disent que le glioblastome tue sur-le-champ.

Avril, mai, juin. Une époque dont je n'ai pas souvenir. Sonnée. Sous le choc. Comme reliée à une prise électrique. J'ai agi, je savais qu'il me fallait agir, je lui ai donné à manger, je l'ai lavé, j'ai hurlé, je l'ai changé, je lui ai donné à boire, je l'ai cajolé, j'ai pleuré, j'ai fait ce qui était indispensable. Comme dans un rêve, dans un cauchemar, pétrifiée. J'ai persévéré. Jusqu'au tréfonds de la douleur. Un désespoir à se cogner la tête contre les murs. Mais ensuite il n'y avait plus de murs.

Des semaines de panique, le cœur serré, tout cela « sous le choc », au bord de l'égarement. Transe-panique, non au niveau ordinaire d'une réaction et des sentiments, mais au-delà de la terre.

Je me suis oubliée moi-même. Ma vie s'est trouvée suspendue pour le temps du combat. Un temps indéfini. La fac, les séminaires, les étudiants. Les projets, les voyages, les livres… Je suis pour lui et près de lui. Lourd fardeau et unique dénouement. Je n'ai pas songé un seul instant à autre chose. Service auxiliaire dans un combat pour la vie. Mon destin s'est figé. Mon destin est devenu son destin. Peut-être était-ce là le but de notre rencontre ?

Quelques jours avant l'opération nous avons accueilli des invités. Tu les as de nouveau amusés avec le récit de notre première rencontre, à New York, à la fin de l'automne 1991. Tu m'avais invitée – à l'instigation de notre amie parisienne – pour un dîner. Une femme est apparue – c'est ainsi que tu l'as raconté –, déguisée en Roumaine (dans d'autres versions c'était en Bulgare), chargée de châles noirs, presque invisible *(Il m'a fallu déballer le paquet avant de voir ce qu'il y avait dedans).* Selon la légende cultivée par toi, malgré une bourse prestigieuse, j'avais l'air affamée et j'ai englouti, ce soir-là, un plantureux et coûteux dîner ainsi que deux desserts. En chemin vers le restaurant, je me serais jetée avec une avidité peu naturelle sur des marrons grillés dans la Cinquième Avenue.

Avec le temps, cette histoire assortie de variantes toujours nouvelles m'a amusée, bien qu'elle m'eût d'abord fait enrager, car j'avais revêtu le meilleur manteau de chez Moda Polska, d'élégants fichus silésiens et, spécialement empruntée à mon amie juive orthodoxe, une robe sombre plissée qui me semblait alors être le comble de l'élégance, et j'espérais une réaction appropriée à mes charmes.

J'avais déjà l'impression, alors, que les valeurs intellectuelles t'intéressaient davantage que n'importe quoi d'autre. Tu posais des centaines de questions et exigeais les réponses. Cela me plaisait.

Je ne me promettais pas grand-chose de cette relation. J'étais mortellement amoureuse de quelqu'un d'autre et, à vrai dire, j'étais allée à ce rendez-vous par pure taquinerie et par curiosité, aussi, pour ce qui arriverait.

Après quelques heures de conversation sur ce que nous sommes et d'où nous venons, nous savions tous les deux, ce soir-là, que quelque chose s'était produit qui changerait nos vies.

Nous avons parlé d'Isaac Singer (je travaillais à un livre sur lui, tu ne comprenais pas comment j'avais pu choisir pareil guide dans le monde juif, toi, intellectuel laïc) et de Hlasko [1] qui avait été l'écrivain de ta jeunesse et dont tu admirais le talent *(Sais-tu qu'il a écrit* Le nœud coulant *à l'âge de vingt-deux ans?)*, d'Osiecka [2] et de la Mazurie, de l'atmosphère de Varsovie au début des années soixante (ta jeunesse, mon enfance). Tu m'as parlé de Mars [3] et des circonstances de ton départ de Pologne en raison de la traque antisémite, et moi – ce qu'alors je ne faisais pas souvent ni volontiers – je t'ai laissé entendre que les yeux sombres de ma maman ont un double fond, celui du ghetto, de l'étoile jaune, de la dissimulation.

1. Marek Hlasko (1934-1969) : romancier adulé par la jeune génération polonaise des années cinquante. Les tracasseries des autorités de son pays le contraignirent à l'exil.

2. Agnieszka Osiecka : figure mythique de la vie intellectuelle de Varsovie au milieu du siècle dernier. Poète, elle a également écrit pour la scène et on lui doit d'excellents textes de chansons.

3. En mars 1968, l'ambassadeur d'Union soviétique en Pologne s'étant plaint de la mise en scène antirusse des *Aïeux* d'Adam Mickiewicz par le Théâtre national de Varsovie, les autorités polonaises en avaient suspendu les représentations. Cette décision provoqua de vastes manifestations dans tout le pays, ce qui servit de prétexte au pouvoir pour déclencher une violente campagne antisémite. Nombre de Juifs polonais furent alors contraints à l'exil.

Tous deux, nous savions.

Toi, tu avais su plus tôt. Moi, sensiblement plus tard. Toi, tu avais été frappé comme par la foudre, moi il m'avait fallu du temps. Je t'avais même jeté qu'il s'agissait d'orgueil, que tu te complaisais dans un état amoureux, chevalier inflexible renversant les barrières, supérieur au destin pour lequel il avait été taillé.

Ensuite il y eut des centaines de roses pourpres livrées à mon appartement new-yorkais par un beau messager noir. Toujours le même et avec ce même mystérieux sourire (interrogateur), comme s'il voulait savoir quand je céderais. Après des semaines d'appels téléphoniques pressants, insatiables, après des mois d'innombrables cartes postales quotidiennes et des sorties en Floride pour un week-end. Après que je t'eus téléphoné, une nuit, de New York à Toronto, parce que les radiateurs sifflaient (dans tes récits j'exigeais une intervention immédiate), après que tu eus fait un saut de quelques heures en avion pour m'acheter une veste chaude ou des bottines en daim chez Bloomingdale's ou m'emmener dans les « colonies juives » – comme tu les appelais – dans les Catskills (j'apprenais alors assidûment la tradition, la religion, l'alphabet et les danses de mes ancêtres). Parfois tu apparaissais tout simplement sans t'être annoncé, téléphonant du coin de la rue pour me dire qu'il y avait un nouveau chardonnay australien à goûter ou un nouveau roman de Roth qu'il fallait tout de suite…

Lentement, lentement nous nous sommes drogués de notre mutuelle présence.

Non, ce n'est pas qu'il fallait m'attirer du côté juif, mais nous être rencontrés à New York et à cette étape de nos propres destinées et pas une autre – ma découverte intensive des nœuds généalogiques, ton enchevêtrement familial et ta fascination renouvelée pour la Pologne – a fait que ce quelque chose a pris naissance. Comme une torche.

Ce soir-là, à table, tu as récité un poème de Constantin Simonov datant de 1941, en russe. Un soldat part à la guerre et prie sa femme de l'attendre. *Jdi mienia, ia viernous, tolko otchen jdi*. Une chanson douce, lyrique.

Attends-moi, attends sans cesse
Résistant au sort ;
Par la pluie et les tristesses
Attends-moi encor !
Attends-moi par temps de neige
Et par grande chaleur,
Lorsque les regrets s'allègent
Dans les autres cœurs,
Quand, des lointaines contrées
Sans lettre longtemps,
Le silence et la durée
Lasseront les gens[1].

Tu ne maîtrisais ni tes larmes ni ton émotion. Sans doute n'ai-je pas compris, alors, ce que tu voulais me dire.

1. Dans la traduction de Katia Granoff pour l'*Anthologie de la poésie russe du XVIIIe siècle à nos jours*, Gallimard, 1965.

Depuis des mois je sentais qu'il allait se produire quelque chose. A plusieurs reprises j'ai tenté de le persuader qu'il fallait commencer à nous réjouir de ce que nous avions. Qu'il arrête de courir après l'argent, qu'il cesse de se chagriner pour les enfants, qu'il écarte les obligations et les responsabilités, qu'il se libère d'un sentiment de culpabilité. *Laisse,* disais-je, *laisse tout ça, allons quelque part, reposons-nous, on s'installera sur une plage ou dans la forêt, on verra Montevideo ou Lisbonne. Non. Pas maintenant, il faut encore mettre de côté pour les études de Daniel, il y a encore la nouvelle école pour Nick, encore les skis, encore les vélos, encore.* Et c'est ce qui s'est passé.

J'admirais ta discipline. Tu avais reconstruit ta vie à neuf, sur un sol étranger, dans un pays inconnu, sans aucune aide. Tu n'avais guère plus de vingt ans, tu étais capable de lire, d'écrire et de tenir une conversation intellectuelle. Rien de tout cela ne pouvait servir à te maintenir à la surface du paradis anglophone au-delà de l'océan.

Au cours de tes premières années en émigration au Canada, tu as eu le scorbut et tu as travaillé dans un commerce de gros chez un Juif hongrois, empaquetant des collants pour dames. De la fabrique de bas, ta route est passée au commerce des calculatrices de bureau et des détecteurs de fumée. Tu es parvenu à l'industrie électronique, à ta propre enseigne et à tes fonds propres, par toi-même et pour ton propre compte. Tu n'étais redevable de rien à personne. Ton esprit tournait constamment à plein régime. Disponible. Sans interruption, sans répit.

J'ai trouvé une note dans un carnet. Prise dans l'avion sur le vol Toronto-Varsovie : samedi 6 novembre 2004.

J'ignorais que tu deviendrais l'essentiel. Soyons ensemble. Je veux croire qu'un temps viendra qui nous sera commun. Qu'il nous suffira dans la tourmente du quotidien. J'ai peur que nous n'y parvenions pas. Tous, autour de nous, meurent si vite et si impitoyablement. Penses-y quand tu choisiras pour nous de nouveaux mois de séparation.

Le verdict m'a abasourdie. Il contestait tout ce en quoi nous avions cru – deux adeptes de la force de la volonté.

Au moment où j'écris cela, je me rends compte que ce n'est pas totalement vrai. J'ai toujours senti que je devais être prête, prête pour la perte. J'ai connu tant de morts déjà, tant de séparations irrévocables, de déménagements définitifs. J'ai toujours su que viendrait le moment où je serais dépouillée de tout... Il n'est pas permis de s'habituer, pas permis de TROP vouloir ou TROP aimer, car tout sera repris. Tôt ou tard. Ce n'est qu'une question de temps.

Le verdict m'a abasourdie. M'a dépouillée de tout. Il n'y avait nulle chance de salut. On ne nous donnait aucune possibilité de nous défendre, pas de « si », aucune condition à remplir, pas de tâches très dures dont s'acquitter, pas de récompense pour fruit de la souffrance. Il n'y avait ni grâce ni rédemption. Il n'y avait rien. Il y avait un verdict. Pur et simple.

H. parle sans cesse avec les autres au téléphone. Il console, raconte ce qui se passe, ce qu'était l'opération, quels sont les pronostics. Force, responsabilité, vaillance. Ma tendresse l'irrite. Comme si elle devait saper la concentration intérieure sur la ligne de front. Il se dérobe. S'énerve. Crie. Crie beaucoup. Que les verres, ce n'est pas sur cette étagère, que l'ordinateur ronfle et le réveille, que la facture n'est pas réglée, que pas ci, que pas ça, pas ici, pas ainsi. Des vétilles toutes-puissantes sans la moindre signification. Je comprends. Je comprends tout. Il ne cesse de batailler, c'est ainsi qu'il se tire d'affaire. Le monde lui a glissé des mains. Lui, à qui ce n'était jamais arrivé. Et n'aurait pas dû arriver.

1er avril, poisson d'avril. Neige et pluie, deux degrés. H. s'entraîne au rasage sans miroir sous la douche. Poisson d'avril. Tout cela, nous le rêvons.

La lésion de l'hémisphère droit menace de provoquer des troubles, voire la perte des facultés d'appréciation émotionnelle de l'expérience et du vécu.

Il n'y a pas eu de signes. A côté de la conviction sans cesse présente que quelque chose nous menaçait. En dehors du sentiment que la marge du temps commun qui nous était offert se réduisait.

Après chaque vol Francfort-Hong Kong, Varsovie-Toronto, Vancouver-Los Angeles, je songeais : ça a marché encore une fois. Je remerciais. Je respirais avec soulagement, sachant que le répit n'était que d'un instant.

J'ignorais CE qui arriverait. Je pensais à un infarctus dans un aéroport quelque part, au fait qu'en tant que concubine – officielle, certes, mais l'ex-épouse existait toujours – je ne serais même pas informée. Nous avions tout un réseau de codes et d'amis communs, mais je vivais avec la conviction que de cela, de l'essentiel, je pouvais ne pas être informée à temps et que je n'aurais certainement aucune influence sur sa vie après la vie. Tout comme je n'en avais aucune pour le faire cesser de tant travailler, pour qu'il se ménage, qu'il pense à nous et pas aux milliers d'autres affaires qui ne dépendaient pas de nous.

Lui, il avait toujours le sentiment de sa toute-puissance sur sa propre destinée. Il réalisait des projets, contrôlait des choix. Moi je persévérais dans le culte créateur de la force intérieure, mais je savais qu'il existe quelque chose qui ne se soumettrait pas à mon pouvoir. J'ignorais le nom de cette menace. Il me semblait qu'elle sourdait du passé de la guerre et du ghetto, qu'elle en était le miroir ou l'écho. Cela me donnait le pressentiment de la précarité de toute construction. Peu importe la forme qu'elle choisirait pour se manifester, l'extermination allait nous atteindre.

C'est une extermination.

Cela revient parfois. Dans une tourmente de neige. Dans les mailles d'un passé alors indéchiffrable.

Avant la promotion de mon livre à Varsovie, en mars, la neige était tombée. Nous nous hâtions tous deux, nous étions excités. Peur et joie, fierté et effroi. Attente. Grand moment. Des années de travail. Des années de soutien de sa part.

Nous nous hâtions – comme avant toute sortie, toute soirée importante. Peut-être étais-je plus nerveuse, moi, que lui. Je cherchais mes chaussures, j'arrangeais mes cheveux. Les parfums n'étaient pas ceux qu'il fallait. Je le priai de découdre les poches de mon nouveau tailleur que je n'avais pas encore porté. J'allais le mettre dans un instant. Je me maquillais dans la salle de bains.

Il en défit une. Il se mit à crier que ç'aurait dû être fait plus tôt, qu'avec moi c'était toujours la même chose, au dernier moment. Il voulait à tout prix réfuter sa maladresse.

Je couvris la poche qui pendait avec un châle en soie rouge. Je ne lus pas les signes.

Il avait mal à un œil. Il conduisait la voiture dans la tourmente de neige, avec assurance, crânement, comme toujours. Je n'avais nul pressentiment. Un sentiment de plénitude. Nous dormîmes mal. Il s'envolait le lendemain.

Terre, continent, empire de la maladie. J'en suis toujours revenue. Mes visites, nos visites y étaient brèves, des plus brèves. Lieu provisoire. Nous retrouvions toujours la santé. Ce sont les autres qui étaient gravement malades et qui mouraient.

Nous n'avions pas le temps d'être malades, il se passait tant de choses qui exigeaient notre attention et notre présence. Nous ne perdions pas de temps avec la maladie, avec la peur pour soi-même, le cœur, les poumons, les dents, la tête. Les grippes, les angines, les membres fracturés au ski ou foulés se laissaient réparer avec une relative facilité. Les « maladies » étaient habituellement pénibles, fatigantes, ennuyeuses, avec des frissons, le mal de gorge, la migraine, la toux et le rhume, des difficultés à se mouvoir ou l'impossibilité de quitter la maison. Mais tout cela était passager. Allait finir. Et finissait. Les plâtres, les écharpes, les éruptions, les nausées, les sueurs, les escarres, les migraines. La visite sur la planète maladie se laissait circonscrire à l'espace de la vie. C'était du temps perdu dédié à une souffrance qui devait cesser dans quelques jours, une dizaine, quelques dizaines. Jamais personne n'en avait disposé autrement.

Là, nous avions obtenu un droit de séjour permanent dans une zone dangereuse. Nous étions déportés. Sans sursis. Sans appel.

Nous appartenons simultanément au monde des bien-portants et à celui des malades, a écrit Susan Sontag. Dans nos passeports terrestres on a apposé deux visas. Aux uns on a accordé le privilège de s'établir sur la planète des bien-portants. Pour eux, c'est naturel. C'était le cas pour nous. Nous nous rendions parfois au pays de la maladie, mais rarement, par nécessité, brièvement. Afin d'en sortir au plus vite. Chaque visite, valable pour une seule entrée, si bref que fût le séjour et assorti d'une perspective de retour, nous apparaissait comme une humiliation. Nous voulions fuir. Fuir pour rentrer chez nous, dans la patrie des bien-portants où tout est possible.

Jamais nous ne nous arrêtions pour longtemps dans le pays de la maladie, nous n'y étions pas obligés. Nous n'y avions été ni déportés ni exilés. Nous n'envisagions pas une telle éventualité – l'émigration forcée au pays des malades.

La vie envahie par la trame de la maladie. Son déclenchement détruisant tout. De la dynamite. Une explosion. Nulle place pour des chemins de traverse. On a fait sauter de l'intérieur notre destin inaccompli. Et tout ce que nous avions – ce que nous avons – prend un caractère ultime. Il n'y aura rien de plus, rien comme avant. Voyages, vêtements, gestes, promesses ne se répéteront plus sous leur forme d'avant le diagnostic. La chanson de Cohen *I am your man*, une cravate d'Armani, des billets pour le Mexique, le patin à roulettes au bord du lac, les lis enivrants à chaque accueil, tout sera différent, autrement. Porté autrement, vu autrement, vécu autrement. Une autre saveur. Un arrière-goût de cendre. Le passé en prend aussi la couleur.

L'hôpital était devenu un lieu de vie, pas ce lieu des visites des autres, rapides, furtives, ce qu'il avait été jusque-là.

On sort de la maladie, c'est ce que nous a enseigné l'expérience. Ici, c'est différent. Je ne peux toujours pas (je ne veux pas) accepter le diagnostic, admettre cette différence. Nous contestons la maladie. Nous voulons croire que c'est réversible. Notre force de volonté doit nous donner force de vie.

Tu étais plus vieux que moi, mais rien de scabreux. Je faisais des pâtés de sable quand tu te retournais sur les filles. Nous buvions tous les deux de l'eau gazeuse avec du jus de framboise au saturateur à l'angle de la rue Marszalkowska et nous mangions du « roudoudou à un zloty » à l'entrée du jardin zoologique, dans le quartier de Praga. Dans nos maisons il y avait les mêmes livres sur les étagères – les séries poétiques sous une jaquette en cellophane, la « Bibliothèque à la Licorne » et « Nikê », avec les fameuses têtes du château du Wawel. Bien qu'avec quelques années de décalage, nous allions en vacances dans les centres du Fonds pour les Loisirs des Travailleurs, où nos mères découpaient avec des petits ciseaux des coupons en papier pour les repas.

Tu te souvenais encore de la foire aux livres, en mai, dans les Allées d'Ujazdow, et de la construction du Palais de la Culture, cadeau de la fraternelle Union soviétique qui, pour moi, était déjà debout, et autour duquel j'ai collectionné mes premiers autographes d'écrivains : Alina et Czeslaw Centkiewicz (tu commentais : *ce Juif polaire*) et Wojciech Zukrowski. Tu reconnaissais le tampon (« spécimen ») sur la dernière page des livres, comme moi, car maman, employée du service culturel d'un quotidien national, recevait des exemplaires gratuits – une forme spécifique d'allocation-charbon (de nouveau ta définition).

Tu avais appartenu, ce qui n'était déjà plus mon cas, à la dernière génération de l'âge d'avant la télévision – une génération, comme tu l'as écrit, fascinée par la souplesse de sa propre imagination sachant ébranler n'importe quelle poignée de mots imprimés.

Nous avons été élevés tous les deux dans le culte du mot. Dépendants de lui tous les deux. De la réalité qu'il est en mesure de créer, de l'émotion qu'il parvient à susciter.

Et le bruit de la machine à écrire a accompagné son enfance comme la mienne.

Tu m'as raconté que la première version du *Suivant au paradis*[1], publié en feuilleton dans le *Panorama* de Silésie, tu l'avais acheté, lycéen, au marché aux puces, appelé Bazar Rozycki. Quelqu'un l'avait soigneusement découpé dans l'hebdomadaire et avait collé les morceaux dans un album de photos. Celui qui t'avait vendu ce trésor était un homme à l'allure suspecte et à la voix rauque, qui ressemblait davantage à un personnage des récits de Hlasko qu'à un bouquiniste. Il t'avait fort justement catalogué comme un mordu et avait exigé une somme vertigineuse pour laquelle, sur ce même étalage, on pouvait acquérir une chemise suédoise *non-iron.* Tu as payé sans hésitation. Pour des livres, tu ne lésinais jamais. A cette époque, mais plus tard aussi, tu considérais les librairies comme le genre le plus attrayant des boutiques de détail.

Sur un exemplaire de *Trois camarades* de Remarque, pratiquement inaccessible dans les bibliothèques, que tu avais emprunté pour une nuit, tu as veillé jusqu'à l'aube en sanglotant (ton mot!) sur le sort tragique de Patricia Hollmann mourant de la tuberculose.

On avait primé ton devoir sur l'auteur d'*Arc de triomphe*, l'année du baccalauréat, comme l'un des meilleurs de Varsovie, et on en avait lu des extraits à la télévision. Cela avait effacé ton abominable fiasco en mathématiques et t'avait permis d'achever tes études au lycée.

Tu voulais être médecin, mais ton père t'avait découragé. Il ne croyait pas que tu t'en tirerais (tu t'en serais tiré!). Tu t'étais lancé dans des études d'économie.

1. *Le suivant au paradis* : un récit de Marek Hlasko.

La taille moyenne de notre cerveau, c'est 1 400 centimètres carrés (un litre et demi de lait, c'est autant de whisky et de soupe aux choux?). Le cerveau de l'homme pèse de 1 250 à 1 750 grammes. Cela fait de cet organe le plus raffiné l'équivalent d'un kilo et demi de pommes de terre ou d'autant d'échine de porc. Il paraît que le plus lourd des cerveaux étudiés était celui de l'auteur de *Roudine*, Ivan Tourgueniev – plus de deux kilos.

La surface fortement plissée du cerveau permet d'« empaqueter » dans le crâne le plus grand nombre de cellules nerveuses. Leur couche la plus importante, d'une épaisseur d'à peine deux à trois millimètres, c'est l'écorce *(cortex)*, la principale zone d'assimilation de l'information, en particulier de ces processus liés à la représentation consciente. L'écorce a une surface importante (comme un vaste champ), aussi, afin de pouvoir être casée dans le crâne doit-elle être compressée, d'où les plis et les sillons. Ce que nous avons en nous d'essentiel ressemble à une feuille de papier froissé. Sans duplicata, comme les empreintes digitales.

Nous allions à l'opération à l'aveuglette. Nous ne voulions pas en savoir trop.

La partie antérieure du cerveau, c'est-à-dire le lobe frontal, occupe environ 40 % de sa totalité, elle répond à des caractéristiques qui nous définissent comme êtres humains. C'est donc ici que se trouve le siège de l'ambition de H., de sa force intérieure, de son charme et de son talent de persuasion. Ici également que sont emmagasinées ses connaissances – sous forme de notions, liées à la langue. Tout cela doit rester intact. De même que toute forme de mémoire – épisodique, sémantique, pratique, sélective.

Tu te souviendras.

Tu te souviendras de tes parents.

De ton père et de ta mère. De Wladek et de Hala. Tu les as toujours appelés par leurs prénoms aryens.

Ton père, issu de la misère juive de Lodz. Un des neuf enfants de Pinkas Rosenberg. Il dormait sous la table. Communiste d'avant la guerre, stalinien zélé jusqu'au bout. Il lisait *Konrad Wallenrod*[1] à haute voix et le poème de Tvardovski sur Vassili Tiorkine[2]. Il adorait *L'avant-printemps* de Zeromski et les romans russes du XIXe siècle.

Ta mère, Rywa Kagan, fille d'un Litwak juif de Lituanie, petit commerçant en textile. Elle connaissait l'hébreu, tout comme le russe et le yiddish, parlés à la maison. Rationaliste. Elle appréciait Essénine et les impressionnistes. Tu étais plus proche d'elle que de lui.

Tu te souviendras qu'on t'appelait Rysio (Hen-rysio) et que tu ne prononçais pas les « r ».

De ton chien, un loulou blanc. Et du petit paletot de fourrure que tu détestais avec un capuchon pointu.

De la bonne, Wala, qui flambait la poule à la flamme du gaz (l'odeur de brûlé).

---

1. Long poème d'Adam Mickiewicz (1798-1835), le plus engagé politiquement de ce phare du romantisme polonais.

2. Un poème publié en feuilleton dans les journaux soviétiques du front, entre 1941 et 1945. Le soldat Tiorkine est le type même du héros populaire, proche d'un certain folklore : dévoué, insouciant, courageux, plein d'humour, voire d'impertinence.

Et des premiers petits livres, en russe. Tu n'oublieras pas ton préféré, *Soso*[1].

Tu te souviendras de la maison de ton enfance, rue Parkowa, dans un quartier de logements coopératifs, aux environs du parc de Lazienki.

De la cave, avec une croix tracée sur le mur à la suie d'une bougie, et l'inscription : *Ici reposent six soldats de l'insurrection, morts pour la Pologne.*

De la cour, où l'on te battait volontiers parce que tu n'étais pas capable de grimper sur le toit plat de l'abri des poubelles qui offrait un refuge.

Et du kiosque à journaux tout proche, où l'on t'envoyait chercher des préservatifs en observant derrière la clôture comment tu t'en tirais (rr).

Tu te souviendras.

De *Temps nouveaux*, la rédaction de l'hebdomadaire politique soviétique où travaillait ta mère, composée – comme tu disais – uniquement de vieilles Juives. Tu les appelais « les veuves de Beria ».

Et du cabinet luxueux de ton père avec la vue dégagée sur le parc.

Des illustrations colorées des albums soviétiques, tes rêves d'Artek (note : Artek était un camp russe prestigieux pour les pionniers, en Crimée, le rêve des enfants soviétiques mais pas seulement).

Et des récits concernant le brise-glace *Tcheliouskine*. Certes, il avait coulé en 1934, mais les aviateurs sovié-

1. L'un des nombreux pseudonymes de Joseph Vissarionovitch Djougachvili, qui deviendra Staline.

tiques ayant sauvé ceux qui participaient à la mission avaient été les premiers à être honorés du titre de héros de l'URSS.

De tout cela tu te souviendras. Et de bien davantage.

Après la guerre, passée en Russie pour l'essentiel, Moïse Rosenberg, le père de H., avait obtenu l'accord nécessaire pour disposer du nom aryen de Wladyslaw Daszkiewicz. Après avoir exercé quelques années les fonctions de chef de la Chancellerie du président Bierut, il avait été transféré au poste de directeur du bureau des décorations. Lorsque j'ai vu pour la première fois sa signature sur le diplôme de l'Ordre des Bâtisseurs de Varsovie qu'avait obtenu mon grand-père, l'ingénieur Szymon (Samuel) Przedborski, probablement en 1949, j'ai compris qu'Isaac Singer avait raison d'affirmer que le hasard n'est qu'un masque sur le visage du destin.

Ainsi, une sorte de radicelle du destin nous avait déjà réunis auparavant.

Là-dessus se sont ajoutés les récits de H. sur mon père dont il écoutait les comptes rendus sportifs quand il était gamin. Le cyclisme était alors un sport national polonais. Tout le monde était fasciné par la Course de la Paix. Dans les cours, les enfants jouaient avec des capsules, se disputant les primes de rapidité et les classements à l'étape. Ils imitaient la voix et l'intonation de mon père : *Allô, allô, ici l'hélicoptère, ici Bogdan Tuszynski...*

H. grasseyait, on ne le laissait donc pas commenter. Les cyclistes sous les couleurs desquels il intervenait ne gagnaient pas souvent non plus. C'étaient toujours des Russes qui gagnaient.

17 avril 2005

Hier, à cinq heures de l'après-midi, on l'a tiré du lit et on l'a fait se lever. Il ne s'était pas écoulé vingt-quatre heures depuis l'opération. Il s'est assis. Lentement. Le monde tourbillonne. Il s'est levé. Il a chancelé. Il est debout. Jusqu'à sa chaise, deux pas. Il les a faits. Il s'est assis. La tête enturbannée, lourde, massacrée au-dedans. Il est assis. Il s'endort. J'ai peur qu'il tombe. Frayeur, panique.

Il reste assis. Il n'en peut plus. Mais il le faut, le plus longtemps possible, parce que les poumons, parce que les caillots. Il reste assis. Seigneur.

Je voulais tuer cette infirmière. Mais lui – patient obéissant. On lui a dit de s'asseoir, il s'est assis. Ses yeux se ferment, l'énorme turban blanc lui pèse.

Ne dors pas, ne t'assoupis pas. Je ne m'endors pas… Il dort. J'ai peur qu'il tombe. *Ne dors pas.* Il ne dort pas. Et il est resté ainsi, assis, une demi-heure !

Je l'ai mis au lit. Il s'est endormi.

Aujourd'hui, il veut déjà se raser et se promener. On verra.

Jeu sans ménagement. Peut-être l'ai-je rencontré pour que nous fassions ensemble ce chemin. Pour qu'il m'ait, moi, à l'heure du pire.

Diagnostic. Nous en avons tous un dans l'addition que nous présente un jour le destin. Quel secours ? Une vie plus longue, une moindre douleur, la guérison ?

Stefan, un ami : *Pour l'existence de Dieu, nous avons encore le temps. Promenade à travers la chambre. Alors, peut-être que Dieu existe tout de même ?*

21 avril 2005

Six jours après l'opération. La main gauche se comporte curieusement, elle tremble, elle saute et ensuite elle se calme. Elle revient à elle. J'ignore pourquoi. Au bout d'un moment, même chose. Ils disent tous qu'après l'ablation de ce diable, tout doit se remettre en place dans le cerveau. En outre, tu as en permanence les mains très froides. Tu dors avec des gants sous deux couvertures. Tu dors ?

Jusqu'à minuit. Ensuite, salle de bains. Même chose au bout d'une demi-heure. Ou se lever ou manger. Et c'est ainsi jusqu'à trois heures. Aujourd'hui, tartine de fromage. Descendre, monter. Je suis de retour. Du thé à la rose. Descendre, monter. Je l'ai apporté. Mais avec du sirop de framboise. Descendre. Quinze marches. Quelque chose de sucré. Peut-être un petit pain d'épice. De l'eau. Et c'est ainsi jusqu'au matin. Encore quelque chose, encore et encore. Vers quatre heures, à la pharmacie. Ou bien à la recherche de glaces au citron. Et tout de suite voilà le jour.

Tu as toujours été impatient. On devait s'exécuter sur-le-champ. Au restaurant, à la banque, dans les aéroports. Hors-d'œuvre, vin, chèques, billets, coin fenêtre ou couloir, réservations. Bien des serveuses ont pleuré par ta faute, bien des hôtesses de l'air ont reçu des blâmes à cause de toi.

Peu importe ce que tu fais, mais il faut le faire bien, du mieux que tu peux, disais-tu. *Si je servais mes clients comme ça, ils iraient voir ailleurs.*

Appelle-moi ton chef. Call your manager. NOW – en insistant sur : TOUT DE SUITE, IMMÉDIATEMENT.

C'est pareil maintenant, mais en plus appuyé.

L'infirmière vient tôt le matin. Elle grimpe jusqu'à l'étage de notre chambre et de la salle de bains. Elle est grande et chaleureuse. Elle a l'air de savoir ce qu'elle fait. Tu attends en pyjama froissé, trempé de sueur après la nuit. Nous t'aidons toutes deux à te déshabiller. J'ignore si la nudité est plus gênante avec cette corpulente étrangère noire ou avec moi. Je n'ai pas la force de te soulever. Elle est habile, elle a l'esprit pratique. Tu te soumets.

Oui, j'ai réfléchi à ce que cela doit signifier pour toi. Encore autre chose dont nous évitons de parler.

Le téléphone est constamment avec toi, comme le plus fidèle des chiens. Inséparable. Il te sert à convaincre le monde entier que tu es bien-portant. Tu lances quotidiennement des communiqués à voix haute et avec fougue. Il arrive que tu t'enfonces soudain dans quelque chose de bourbeux au milieu d'une conversation. *Je suis fatigué, très fatigué.*

Les résultats des examens doivent être connus la semaine prochaine, on esquissera alors un plan pour la suite du traitement. Aujourd'hui, il fait de nouveau plus froid et il pleut.

Répertoire électronique des amis à travers le monde, bulletin d'information sur la maladie. A l'aide d'un seul clic trente-quatre personnes ont pris connaissance des dernières nouvelles. C'est ce que vous avez préparé ensemble avant d'aller à l'hôpital, afin de me faciliter la vie.

Je n'ai pas une grande famille, a écrit H., *et pourtant vous tous êtes ma famille. Ma ceinture d'acier autour de la Terre.*

Vous êtes sortis du même bac à sable, cette notion était très importante pour lui. Elle signifiait toutes sortes d'initiations. Premiers baisers et premières lectures, j'ignore ce qui avait le plus d'importance. Communauté d'épreuves à plusieurs niveaux.

Éparpillés à travers le monde, essentiellement émigrés de Mars 68, ceux de la cour, des études inachevées, détenteurs du titre de voyage et de billets pour un aller simple, ils étaient tous avec nous, solidaires. Lorsqu'ils s'étaient séparés – physiquement – ils avaient vingt et quelques années, mais ils ne se sont jamais réellement quittés. Leur présence nous a donné le sentiment d'appartenir au monde des épreuves communes et à la vie, nous a donné un sentiment de sécurité.

On nous a fait grand tort, écrivaient-ils, *nous n'avons pas appris à prier.* Et pourtant, de toute façon nous avons tous prié. En amateurs.

Les premières semaines – du choc, du désespoir, de la peur – je n'ai pas étudié la tumeur. Je regardais les grandes planches de loin, au sixième étage de l'hôpital neurochirurgical Western de Toronto. Les espaces sombres comme des flaques pleines de boue désignaient la menace. *Glioma, glioblastoma.* Je m'interdisais d'en approcher. Mon regard errait. Méandres. J'étais fermée à tout canevas, je n'entrais ni dans leur morphologie ni dans leur philosophie. Je ne voulais pas admettre ce dont préjugeaient les images sur les murs. Personne ne nous avait dit ce qui arriverait à H., à sa personnalité, à ce qui, au fil des ans, l'avait façonné, avait fait en sorte qu'il était ce qu'il était.

Vous serez en mesure de vous souvenir, monsieur, de comprendre, de parler, de conserver vos connaissances, la pensée par association d'idées fonctionnera. Une petite paralysie est possible du côté gauche, mais elle passera avec le temps.

Toi et la paralysie ? Le mot à lui seul est abominable.

Tu dévorais trop la vie. Tu ne supportais pas les instants de vide. Ton esprit étincelait en un mouvement incessant.

La plus grande récompense était la lecture, quand tu n'avais pas de temps pour les livres, parce que tu concoctais des projets d'affaires et des stratégies de marketing, quand les clients et les voyages te mobilisaient, tu étudiais de la première à la dernière page les numéros successifs de la *New York Review of Books* religieusement mis de côté.

Tu accumulais avidement la littérature dite du réalisme socialiste. *Le numéro 16 produit*, de Wilczek, ou *Charbon*, de Scibor-Rylski, te procuraient des moments de plénitude pour moi incompréhensibles. Comme d'autres, je me suis mise en quête de ces volumes-là chez les bouquinistes et sur les éventaires, afin de voir cet éclat dans tes yeux. Nous avons aussi rassemblé pour toi d'autres gadgets du réalisme socialiste triomphant – les insignes funèbres après la mort de Staline, les cigarettes Bielomor avec leur tube en carton, des cartes postales et des timbres où figurait l'effigie du président Bierut, ou des panégyriques pour le ministre de l'Intérieur Radkiewicz. Tu aimais regarder ton butin comme tout collectionneur maniaque. Le mieux, c'était avec ceux qui, d'une certaine manière, avaient pris part à ton passé. Tu nourrissais une grande affection à leur égard.

C'est la pornographie communiste, exclusivement, qui t'intéressait.

L'anatomiste londonien J.Z. Joung décrit l'univers du cerveau comme un vaste bureau dans lequel dix à quinze milliards de secrétaires travaillent simultanément. Chacune a son standard téléphonique particulier et chacune tente de communiquer avec quelqu'un. J'ai quelque difficulté à m'imaginer ce hall d'usine, il n'y a pas tant de gens sur terre. Le tumulte et l'inquiétude doivent y régner. Avec un standard pareil, la liaison – lignes internes ou extérieures – avec les autres services du bureau est possible en une fraction de seconde.

Le cerveau est l'organe le plus complexe qui soit.

Dans les milliards de cellules nerveuses, reliées entre elles par des faisceaux conducteurs d'une longueur d'un million de kilomètres, s'opèrent des processus compliqués (inconcevables). Les connexions nerveuses, ce câblage spécifique, existent dans le cerveau humain dès la naissance. Au cours des premières années de la vie elles s'épanouissent en un réseau dense, qui l'enserre. Les goûts de l'enfance sont déterminants pour la manière de percevoir et de se comporter. Le cerveau est façonné par le vécu.

L'univers du cerveau est la base de toute capacité d'action et des facultés créatrices de l'homme. La pensée, la parole, la perception, l'intelligence, la conscience sont des fonctions du cerveau. La personnalité, la faculté de connaître et de percevoir, la conscience – le système nerveux répond de tout cela.

Pour moi, le mystère du cosmos de notre tête est impénétrable. Les scientifiques en ont déjà déchiffré les structures essentielles.

Les briquettes fondamentales, les éléments centraux du système nerveux – les neurones – sont connectés par les fibres nerveuses. Ce système d'assimilation des informations est inséré dans un tissu de soutien et de protection fait de cellules névrogliques. La communication entre les cellules se fait par les synapses, le point de jonction. Elle repose sur la variation du potentiel de la cellule. On peut considérer le signal nerveux comme une décharge électrique…

Moi, ma tête était jusqu'alors prairie et forêt, eau, océan, respiration. Maintenant, grâce à la lecture d'un livre sur le cerveau, elle est centrale électrique, usine, un organe qui ne m'est pas seulement étranger et incompréhensible mais qui m'apparaît aussi comme effrayant. Échange d'informations entre électrons et électrodes. J'avais toujours rejeté ce savoir, cessant d'écouter au bout de trois phrases. Maintenant j'essaie de suivre, afin de comprendre ce qui se passe dans le cerveau de H., cerveau qu'au fil des ans j'ai admiré comme étant un ordinateur précis, omniscient. Son intellect, sa mémoire et ses connaissances étaient sa plus grande force. Le nombre de Juifs au Parti communiste polonais, le pogrome de Kielce et les autres pogromes d'après-guerre en Europe orientale, les technologies modernes, les secrets du marketing, le livre comme œuvre d'art et comme produit, la poésie russe des années trente, les écrivains qui ont écrit dans une langue qui n'était pas la leur : Conrad, Nabokov, Kosinski. Les émigrés allemands, Berlin occupée, Nowakowski et Brandys… L'esprit le plus magnifique que j'aie connu. Et toujours en train de lire, toujours avide de savoir. Un grand autodidacte.

Est-ce à cause de cela que c'est arrivé ? Les cellules grises n'ont-elles pas résisté à l'excès ? Peut-il y avoir une quelconque relation entre sa puissance intellectuelle, la quantité d'informations touchant tant de domaines, tant de zones de la connaissance, tant de langues, et le développement de la tumeur ? A-t-il pu se produire quelque chose dans le genre d'une surchauffe pour un moteur ? Triviales métaphores. Cruelle vérité.

C'est seulement au début du XXe siècle qu'on a découvert que le cerveau n'est pas une masse homogène. La forme de la cellule nerveuse a été décrite pour la première fois par le fameux histologiste espagnol Santiago Ramón y Cajal. Ses recherches lui ont valu le prix Nobel en 1906. Les scientifiques qui sont poètes appellent la cellule nerveuse l'aristocratie des structures du corps. Dotée de bras puissants (le prolongement cellulaire) étirés tout comme les bras de la seiche, elle atteint les premières lisières du monde extérieur.

La seiche, céphalopode rapace à dix bras, au corps mesurant jusqu'à 30 centimètres, se caractérise par une poche viscérale à deux nageoires et des bras préhensiles dépassant de la tête. En cas de menace, la seiche projette une substance brun foncé, appelée sépia, hors d'une poche à encre. Se crée alors autour d'elle une auréole sombre qui désoriente et rebute l'agresseur. Elle est comme le caméléon, elle change de couleur en fonction de la couleur de l'environnement.

Réussirai-je à knock-outer la maladie en étudiant les atlas botaniques et zoologiques, en jouant à la physiologie et à la médecine pour amateurs ? Je n'en avais pas la force quand se jouait notre destin, je tentais alors de comprendre autre chose.

La panique m'a ôté la mémoire. Pendant les semaines du printemps j'ai agi comme sous l'effet d'une anesthésie. Comme une marionnette en papier animée par la nécessité de servir le malade. J'exécutais des tâches concrètes, plus elles étaient concrètes mieux ça valait. Elles m'occupaient les mains, pas la tête. Louer un déambulateur, acheter une chaise pour la douche, téléphoner à la pharmacie, aller chercher les médicaments. Occupations. Le moment venu, j'ai parlé de l'enterrement avec le rabbin, et avant d'argent et de la cérémonie funèbre avec l'oncle Janek et Martin. Veut-il être incinéré ? On n'incinère pas les Juifs. Est-ce que je sais ? Non, je ne sais pas. Je savais qu'il voulait avoir quelques photos dans son cercueil. Un cercueil – puisque cercueil il y a, donc pas de cendres. Quelles photos, et qui s'occupera des tirages ? Le cimetière, le même que celui où sont enterrés les parents d'Esther. J'ignore où ils sont enterrés. Demander. Au nord de la ville. Avec les autres Juifs.

Noter. Noter pour ne pas perdre. C'est ce que conseillait Milosz. Pourquoi ne pas perdre ? Peut-être qu'il faut oublier et que ça vaut la peine, peut-être l'absence de mémoire me sauvera-t-elle ? H. ne veut pas revenir à cet état, il ne veut pas revivre la maladie. Il fait tout pour consolider l'espoir. Il a la certitude que le pire est déjà derrière nous, que rien d'extrême ne nous attend. Il se moque du diagnostic et des statistiques. Deux ans ? Pourquoi ne donnent-ils que les pires prévisions ?

Quelle force extraordinaire il faut avoir pour croire à la victoire sur l'invincible. D'où H. la tient-il ? Plus de moi, maintenant. En moi on ne peut plus puiser que de la peur.

Être un « patient », dans la langue où évolue notre maladie, cela signifie avoir de la patience. Être un patient n'exige pas seulement de la patience mais encore de l'humilité. Mon patient est exemplaire. Le plus brave d'entre les braves. Totalement soumis aux soins : perfusion, toilette, couches, cathéter. Il est bon, doux, docile et reconnaissant. Il remercie, remercie pour tout, pour une cuillerée de bouillon, pour la présence, pour l'oreiller redressé, pour une caresse, pour un poème. Il baise la main des dames, avec sollicitude, dans ce geste il est tendre. Élégant comme toujours et soumis comme jamais. Il se permet tout sauf une plainte.

La fidélité, a enseigné le Père Tischner, c'est avant tout un acte d'espoir et non de mémoire.

Il ne se lamente pas. Ne s'emporte pas. Calme et digne. *Dégénérescence d'individu,* dit-il de lui-même. Ou bien : *Une bête malade dans un corps humain.* Laconiquement. Avec une lueur dans le regard. *Ils m'ont forcé le crâne au pic et à la fourche, voilà le résultat.*

Parfois il a la force de raconter les gaffes de Gomulka dans les réceptions diplomatiques (il a lapé l'eau citronnée servant à se rincer les doigts après les huîtres) ou d'évoquer la domestique de Bierut. Une autre fois, il parle de Ledvinko, le paysan fondateur de l'usine Tatra, et du professeur Ferdinand Porsche, ou bien des moyens d'obtenir des livres sous le manteau dans la Pologne communiste.

Il m'appelle, il m'appelle constamment. Nos amis canadiens plaisantent à ce sujet. *AGATKO !!! Agatko !* Accents et intonations multiples. De toutes parts. Sur le OOOO final. Le plus important c'est que j'apparaisse immédiatement. Elle dort ? Quatre heures du matin ? Impossible, il faut la réveiller (il a convaincu toutes les infirmières que je souffre d'insomnie). *Où es-tu ? Viens !*

C'est la femme de ma vie, a-t-il dit à un ami de longue date. *Et que puis-je lui offrir, moi, comme nuit de noces ? Une poche pleine d'urine !*

Derrière la fenêtre c'est le printemps. Dissonance maladroite du lilas sur la literie blanche. La route de l'hôpital traverse un monde de lumières, voie rapide jusqu'à l'indécence. Le mois de mai n'a pas fait de pause, la vie ne s'est pas figée.

Pourquoi ?

Pas de plainte. D'homme amant, protecteur, roi, il est devenu patient. Dépendant des autres – lui, le plus indépendant des hommes. *Il est devenu un autre roi,* proteste mon amie de Toronto, Ewa, *le roi de la maladie.* Dans son agenda elle a écrit : *H. is lording it over death.* Ainsi donc, il règne sur son agonie, avec dignité il s'achemine vers l'inéluctable. D'un pas souverain. Il maîtrise...

Tout est arrivé. Cela s'est passé sous mes yeux et dans mes bras. J'ai passé le printemps entre deux hôpitaux. La verdure s'éveillait. H. s'éloignait. Il était allongé inconscient sur des lits d'hôpital quand s'épanouissaient puis fanaient les lilas. Les rayons l'avaient presque tué, son état s'était dégradé. Je savais qu'il me fallait le secourir, le sauver, n'admettre en aucun cas que son temps s'achevait. J'ai imploré les médecins de lui épargner l'ultime nouvelle. Il ne se rendait pas compte à quel point il allait mal. Il n'en a que peu de souvenir.

Tu n'aimais pas être câliné. Peut-être est-ce la marque des hommes. De toute évidence il y a dans ce geste quelque chose qui réduit leur autorité. Ce mouvement instinctif doit paraître honteux. S'autoriser la faiblesse d'un câlin s'est se soumettre, se rendre. Tu en avais tant besoin dans ta maladie. Nous n'en avons jamais parlé. Auparavant, c'est à toi que revenait le rituel de la protection et de toutes les consolations.

Il avait six ans, peut-être huit déjà, et il jouait dans sa chambre avec un ours en peluche. Au cours d'une de ses visites, une relation de son père, un de ceux qui appartenaient à l'establishment communiste, décida que ce n'était plus de son âge. Il sortit un pistolet et visa le garçon et son ours. *J'ai pensé que la guerre était déclarée,* racontait H.

Cette histoire me revient dans nos veilles à l'hôpital. Ce garçon qui serrait son ours contre lui m'émeut. Depuis que je le connais, il n'a jamais montré de faiblesse. Ce n'est qu'à l'hôpital, quand les médecins n'offraient aucun espoir, qu'il m'a convulsivement retenue et ne m'a pas permis de m'éloigner. Seulement alors.

L'ourson a survécu. Il habite dans ma cave avec diverses autres choses de son ancienne maison.

Gliome, lat. *glioma, gliomata,* du lat. mod. *glia* – « glu », du gr. γλια (*glia*). Signification : « colle », « quelque chose de gluant, de glissant, de gras ». Après l'adjonction du suffixe *-oma,* le mot désigne une tumeur.

Les gliomes sont un groupe de néoplasmes du système nerveux central faits de névroglies, qui constituent la gangue du tissu nerveux et remplissent à l'égard des neurones des fonctions de soutien, de nutrition, ainsi que des fonctions réparatrices.

Des parasites cylindriques répugnants, comme des vers, comme des lombrics bien gras servant d'appât pour les poissons. (Je ne savais pas que les vers ont aussi un cerveau et les vers plats un système nerveux assez compliqué, semblable au nôtre.)

Le gliome multiforme (le nom latin utilisé sur ce continent – *glioblastome multiforme* – paraît bien plus majestueux) est une tumeur très pernicieuse issue des névroglies. Il a le degré de malignité le plus élevé : quatre.

Il se développe dans les hémisphères cérébraux, habituellement dans les lobes frontal et temporal. Il se distingue en ceci qu'il procède par infiltration, que sa migration est intensive et son développement fulgurant. Image histopathologique diversifiée ; caractéristiques : une grande malignité histologique, la présence de foyers de nécrose et de nombreux vaisseaux sanguins pathologiques qui peuvent entraîner une hémorragie cérébrale. Cela rend la résection totale du gliome très difficile, parfois carrément impossible – les récidives de tumeurs et de métastases dans la sphère du système nerveux central sont donc vraisemblables.

Le gliome est un néoplasme dont la radiosensibilité est modérée, ce qui signifie que le cobalt n'a sur lui qu'un pouvoir limité. Ce sont les hommes qui sont le plus souvent atteints – le pic de morbidité c'est la cinquantaine et la soixantaine.

Je cherche d'autres informations sur internet. Wikipedia donne une histoire abrégée de cette catégorie de tumeur au cerveau : les premières descriptions d'une image microscopique des gliomes datent de 1869 et sont associées au pathologiste allemand Rudolf Virchow. Les classifications histogénétiques dont on se sert aujourd'hui ont été inspirées par les recherches des scientifiques américains Percival Bailey et Harvey W. Cushing en 1926. Ils ont été les premiers à associer l'aspect des cellules tumorales à celui de cellules formées au cours du développement du système nerveux.

La méthode de classement des tumeurs du système nerveux central la plus généralement appliquée a été la classification de 1952 due à deux chercheurs : James W. Kernohan et George P. Sayre. Ils ont souligné la malignité de chaque groupe de tumeurs sur une échelle de quatre niveaux.

John Diamond, journaliste de radio anglais, a longtemps lutté contre une tumeur à la gorge. Il a réussi à écrire un livre (*Because cowards get cancer too* – « Parce que les froussards ont aussi le cancer ») qu'on a publié après sa mort, en 1998. Sur un ton sarcastique il a décrit le destin des cellules ayant connu le privilège de la corruption cancéreuse.

A sa manière, la cancérisation est la carrière la plus éblouissante dont puisse rêver une cellule ordinaire. Cette phrase capte l'attention. Paradoxe ? Je lis et je relis. J'apprends.

Quand notre corps et notre organisme prennent forme, les fonctions des cellules se différencient elles aussi. Elles optent pour une spécialisation, planifient leur propre destin. Le code génétique leur suggère les tâches auxquelles elles sont affectées. Généralement, elles s'y consacrent. Tout comme ces vieilles familles qui héritent de traditions et d'obligations séculaires.

Chaque cellule a été programmée au préalable. Telle une ouvrière lambda, sans individualité particulière, elle exécute depuis toujours les fonctions dont elle a été chargée. Les gènes répondent de son rôle. Avec le temps, les cellules se séparent, les mères engendrent des filles (la cellule reste du genre féminin). De nouvelles générations occupent la place des anciennes, les précédentes meurent. Elles subissent imperturbablement leur sort. Elles sont comme des feuilles arrachées à un calendrier périmé, jusqu'à la fin.

Les cellules cancéreuses sont différentes. Elles se moquent bien de la vie laborieuse de leurs familles. Elles veulent voyager s'amuser, faire les folles, faire des choses que leurs parents ne pouvaient se permettre en raison du sentiment inné de leur responsabilité. Les cellules cancéreuses ne mûrissent jamais. Ne grandissent pas. Elles ont toutes les caractéristiques les plus répugnantes d'une jeunesse irresponsable. Chez elles c'est le désordre, elles n'obéissent à personne, en outre elles se considèrent comme indestructibles. Et peut-être parviendraient-elles à l'immortalité à laquelle elles aspirent si elles ne finissaient par tuer leurs nourriciers/porteurs.

A un certain moment, les cellules cancéreuses perdent la tête, elles ne savent que faire d'elles-mêmes, elles ignorent à quoi elles servent. Elles sont bien-portantes mais elles n'ont pas de métier, pas de spécialité, elles deviennent donc inutiles. Et de plus, elles ne cessent de se diviser. Elles croissent sans fin, elles prolifèrent comme les effectifs de quelque secte de mauvais augure. Elles ont l'obsession de l'immortalité mais, en même temps, il n'y a rien à tirer d'elles.

Ainsi naît un néoplasme. Il se développe rapidement, mauvais, au mauvais endroit. Il peut s'écouler plusieurs années avant qu'il devienne visible. Les ravages à l'intérieur sont alors considérables. Les cellules doublent et triplent, se développent, croissent. Dans la plupart des cas le cancer vit plus de la moitié de sa vie avant d'être décelé.

J'entends dire de tous côtés que je suis brave, confiait Diamond. *Courageux. C'est faux. Ce n'est pas du courage. Nous avons affaire au courage lorsqu'il y a le choix. Je n'ai pas eu le choix. On m'a diagnostiqué une maladie mortelle et voilà quelle a été ma réaction.* On a dit aussi qu'il avait enfreint un tabou. Mais il ignorait tout simplement qu'il ne faut pas parler du cancer. Finalement, il a décidé que cela avait sans doute un rapport avec sa judéité, une culture où toutes les maladies sont largement discutées et commentées – rhume, grippe, constipation, infarctus ou cancer.

3 mai 2005

J'apprends la routine de la maladie. De menues activités occupent des journées entières. Lever, toilette, habillage, déjeuner et ainsi de suite jusqu'à la nuit tombée. Comprimés, pilules, poudres, formes, couleurs, fréquence, ne pas se tromper, de grands défis pour commencer, de plus en plus de défis, des massages, des exercices. Beaucoup d'hôtes, chacun différent, différemment aimé. Des foules qui se déversent à travers la maison. Beaucoup de marches à gravir. Consultations avec l'infirmière, la physiothérapeute, les médecins. Préparation à la chimio : *Il se sentira mal, faiblesse, nausées, perte de connaissance, cheveux, sans cheveux…* J'écoute. Nous écoutons. Mon H. plein de vaillance. Et moi.

C'est ça notre vie?? Nous, voyageurs, intellectuels, dévorant livres et gens? Il nous faut nous laisser réduire à la chimio, au casque pour les rayons, aux globules blancs et rouges… NOUS VOULONS VIVRE!!! VIVRE, parce que nous n'en avons pas eu le temps avant.

Hélas, aujourd'hui à nouveau quatre degrés, et à midi dix tout au plus. Hier il a grêlé!! Nous sommes en mai. Ça tombe mal, parce que H. ne peut ni sortir (de toute façon, il se traîne à grand-peine, mais les amis l'emmènent en promenade) ni s'asseoir dans le jardin. Du reste, il a plus froid encore, quelque chose cloche sans doute dans son thermostat interne, il a donc doublement froid. Et moi avec lui.

Le plus important, maintenant, ce sera jeudi – le plan pour la suite du traitement. Nous attendons, nous avons peur. Chacun de son côté. Afin de ne pas provoquer de panique. Nous commençons à mieux dormir la nuit, ce qui aide beaucoup. Jusqu'à présent, je marchais des journées entières comme si j'étais ivre. Je continue à avoir l'impression que ce n'est pas là ma destinée, ma vie, que j'observe ce drame derrière une vitre. Car ma vie était autre, heureuse, difficile, pleine de séparations et de travail, mais claire. Si claire. Sans ombre réelle. Et maintenant ? Mauvaises pensées. Elles viennent en trop grand nombre.

6 mai

Les médecins recommandant une radiothérapie de trente jours associée à la chimio. Ils ne commenceront pas avant le 23 mai. Ensuite, pause d'un mois et chimio pendant une semaine au cours des cinq mois suivants. Quatre chances sur dix. Nouveau remède, efficace paraît-il. Les patients survivent rarement au-delà de deux ans.

C'est à cela que notre sort doit ressembler ? Pourquoi ?

Le docteur Gentili, bienveillant, t'a laissé ta grande bibliothèque dans la tête. Des murs remplis de livres du haut en bas, d'épais volumes aux reliures de cuir ou de carton, souples, datant des années cinquante, provenant de ta collection de joyaux du réalisme socialiste. Couvertures rigides et luisantes. Albums et encyclopédies. Dictionnaires des oiseaux, des voitures et de quelques langues. Mots étrangers et synonymes. Livres usés à force de lectures, gardés en mémoire, vivants. Les objets les plus proches, ou plutôt non, pas des objets, mais des sujets, des mondes. Ce qu'il y a de plus indispensable.

Livres polonais avec lesquels tu as grandi. Livres étrangers qui traduisaient une autre réalité. Tu étais aussi éloigné de Nick Adams, héros des nouvelles d'Hemingway, que de Jean Valjean. Tous deux étaient parmi tes héros préférés, mais aucun n'a franchi les frontières de la littérature. Or ce que tu voulais, toi, c'est une commune identité, une parenté avec le monde des mots, l'union de deux réalités.

Domaine intime. Réalité des lettres s'accomplissant en permanence à nouveau. En plusieurs dimensions et plusieurs espaces de l'âme et de la géographie. Tu n'avais rien emporté de Pologne hormis des livres. Et rien, en dehors d'eux, ne t'intéressait vraiment. Sinon les femmes.

On a épargné sa langue à H. La connaissance stockée dans le cerveau, sous forme de concepts, devient effective grâce à la langue. Des lésions du cerveau peuvent entraîner l'inaccessibilité aux mots (la faculté de nommer les idées).

Elles freinent l'accès au vocabulaire ou bien détruisent le vocabulaire lui-même.

Sans relation avec les idées, les mots perdent leur valeur informative. Dans *Critique de la raison pure*, Emmanuel Kant écrit que les « intuitions sans concepts sont aveugles ».

Sa bibliothèque est restée en lui. Et toute sa base de données informatiques. Imposante, aussi précise qu'avant. La cicatrice la plus durable, celle de Mars 1968, est restée, doublée de larmes qu'il ne montrait pas autrefois. Il ne sait pas parler de son expulsion de Pologne sans émotion. *On m'a dit que j'étais étranger dans mon propre pays, à moi qui ai été éduqué en polonais, qui connais les poètes polonais par cœur. On m'a ôté le droit à ma patrie.* Il n'a jamais exprimé aucune douleur de manière aussi dramatique.

Il se sentait traqué par l'atmosphère de pogrome de ce printemps-là – tribunaux secrets et sabbats de sorcières (ce sont ses termes). C'est l'injustice qui dominait.

Son monde était la culture et cela voulait dire la Pologne et seulement la Pologne. Et pourtant il ne voyait pas la possibilité de rester là-bas après Mars. Comme la majorité de ses amis, comme des milliers de Juifs polonais il a signé les papiers de renonciation à la nationalité polonaise. Une valise verte en tissu remplie de livres polonais constituait la seule et unique preuve d'identité avec laquelle il a quitté son pays, le 4 août 1969. Sur le quai varsovien de la gare de Gdansk, ses parents et une foule d'amis lui firent leurs adieux. Quelques-unes de ses ex et présentes fiancées sont restées sur le quai. Le train, un sleeping soviétique, allait à Copenhague.

Il savait qu'il ne serait jamais Danois. Il était né Juif polonais et l'est resté jusqu'au bout. Sa maison, c'était la langue polonaise.

Un homme qui sanglote est bien plus désarmé qu'un enfant.

Vocabulaire du cerveau. Vocabulaire des livres. Vocabulaire de la vie. Vocabulaire de la maladie.

Un temps, j'ai cru que le chirurgien lui avait ôté la mémoire des sentiments. Avait barricadé les prés où le soleil repose, les plages de sable et le reflux de la mer. Ce fut le cas un moment. L'équilibre se rétablit avec le temps.

Hippocrate a écrit que le cerveau est le traducteur de la conscience. Toutes les impulsions y ont leur source. L'âme est une invention des poètes.

La formation du cerveau est l'un des événements les plus importants de l'évolution, écrit Ernst Poppel dans son livre Le cerveau, un mystérieux cosmos. *Le cerveau permet de se connaître soi-même, il possède la faculté d'analyser les causes de sa propre existence. Cet ajustement évolutif comprend donc aussi ce que nous appelons l'âme. L'âme est une part de la vie, elle n'a pas été « happée » dans les fonctions du cerveau façonnées au cours de l'évolution, mais elle s'est présentée en même temps que le cerveau.*

Agata dit que je n'ai pas d'âme, rien que des calculs, a écrit H. dans l'un de ses derniers mails avant l'opération.

Je le reconnais bien là.

Tu es né après la guerre, mais la guerre, l'Extermination, a toujours été présente dans ta vie. Et depuis toujours. Tu as été élevé sans famille, sans oncles ni tantes, sans visites dominicales à Bialystok ou à Sochaczew. Sans pèlerinages au cimetière le jour de la Toussaint. En revanche, tu as connu la solitude des après-midi et des soirs de réveillon de Noël alors que les voisins polonais s'installaient pour la fête et rompaient l'hostie. Il n'y avait pas non plus de sapin de Noël dans la maison de Moshé Rosenberg et Rywa Kagan.

On évoquait ceux qui avaient péri. Presque toute la famille de ta mère, car les Kagan n'avaient pas l'instinct de survie. Seules Hala et sa sœur Sonia étaient sorties du ghetto. Habitués à une vie dure, les Rosenberg avaient survécu presque jusqu'à la fin, et même avec leurs parents. Les deux plus jeunes fils, les frères de ton père, ont péri dans l'insurrection de Varsovie, tous deux sous l'uniforme de l'AK, l'Armée de l'Intérieur, et avec le brassard blanc et rouge[1]. L'un par hasard, l'autre parce qu'il était juif.

Tu savais qui tu es.

Chez moi, on réfutait le passé. On l'avait banni parce qu'il était témoin de la douleur et signe d'humiliation. Mes jeunes parents, enfants de la guerre, rêvaient d'une jeunesse insouciante dans un pays libre, et c'est cette jeunesse-là qu'ils ont construite à la fin des années cinquante et au début des années soixante. Deux étudiants en journalisme amoureux l'un de l'autre, ma future mère issue de Juifs du Petit-Rynek de Leczyca, fille d'une institutrice

1. Les couleurs de la Pologne.

et d'un ingénieur, et mon futur père issu d'une famille ouvrière du quartier de Baluty à Lodz, fils de cheminot. Ils croyaient en des lendemains meilleurs pour leur jeune patrie. C'est pour elle qu'ils ont œuvré. Ils voulaient être comme les autres, c'est pourquoi je n'ai eu connaissance de la trame juive de ma vie qu'à l'âge de dix-huit ans passés.

Je me souviens de l'attente. De toutes sortes d'attentes. Devant les salles d'opération, attentes lourdes comme des prières inexaucées, devant les cabinets médicaux, car il se peut que quelqu'un se trompe, avant l'ultime diagnostic, après l'ultime diagnostic, après le verdict, après la sentence. Pour savoir, pour consulter, pour perdre espoir et ne jamais le retrouver. Pour s'assurer que la chimio ne le tuera pas, pour établir un plan d'action future, pour regarder la vérité en face, pour déchiffrer les stratégies de survie. Attente devant d'autres salles d'examen, avant les radiographies, les scanners, les tomographies, sur un lit, sur un chariot, sur un brancard. Attente.

Jamais, nulle part, nous n'avons autant attendu. Attendu patiemment. H. se débattait généralement contre la réalité, tentait de la plier à la forme qui lui convenait. Il explosait, il exigeait. Maintenant il était devenu un modèle d'humilité. Qui plus est, il avait confiance en ce qu'il entendait. Il ne remettait pas en cause les méthodes de traitement. Il ne contestait rien. Ne savait pas mieux que les autres. Je ne le reconnaissais pas.

11 mai. Nouvelle nuit sans dormir. En route vers la salle de bains, dans un demi-sommeil, H. est tombé. Poids difficile à déplacer. Corps inerte. Je me penche sur lui, je croise mes bras sous son dos. Je ne parviens pas à le soulever, je n'ai pas de forces. Encore un essai, et encore un. Combat contre l'impuissance, des minutes, des quarts d'heure, des heures. Comme tout cela est loin de nos anciennes luttes amoureuses. Par terre. Vers le haut, vers le

bas. Encore une fois, essayons. Tu t'affaisses. Je n'ai pas la force. Personne pour aider. Amis, voisins, trois heures du matin, que faire, panique, panique, silence, pas d'issue, il me faut tenir ainsi, te soutenir. Alors, du calme. Mais ensuite ?

Nous essayons une nouvelle fois. A genoux tous les deux.

Ce n'est pas lui, le pire c'est que ce n'est pas lui, plus lui.

Il n'avait plus d'équilibre, nous nous sommes retrouvés aux urgences. Nous avons attendu des heures. Un patient qui a subi une opération du cerveau, qui tient à peine sur ses jambes – dans une file d'attente devant des infarctus et des accidentés de la route. J'ai essayé de m'emporter, j'ai essayé d'implorer, sans résultat. Arrivés en fin de matinée nous avons attendu notre tour jusqu'au soir. H. plus calmement que moi. Ils l'ont gardé à l'hôpital.

Au petit matin, le téléphone : immédiatement, nouvelle opération inévitable.

(*Je vais subir une deuxième opération* – voix lasse mais énergique. *On me fait des choses désagréables. Ça ira.)*

Nous ne discutons ni de la nécessité, ni de la finalité, ni de la peur. Devant nous, une tâche pénible : attendre. Ania et Ana sont avec nous.

Accessoires déjà connus : lit à roulettes, interdiction de manger et de boire, visites régulières d'infirmiers. Routine (!?). On peut l'appeler à tout moment. H. a tous ses esprits, il semble avoir conscience de ce qui est arrivé et de ce qui se passe. Un kyste rempli de liquide provoque une compression du cerveau, d'où les troubles de l'équilibre et les pertes de conscience. Godot n'arrive toujours pas.

Tout se passe comme dans les séquences d'un film au ralenti. De la chaise au lit, découvrir, humecter les lèvres, caresser. En place. Couvrir. De nouveau. Immobilité de l'attente. Tension.

Le silence est pénible et la tendresse dangereuse. Que se passe-t-il dans sa tête ? Comment sa tête attend-elle la nouvelle ouverture ? Mieux vaut ne pas lui permettre d'y penser. Avec Ania nous commençons à réciter des poèmes. L'un après l'autre, à tour de rôle. Avec l'inconcevable passion de l'impuissance. Fort, plus fort encore.

Sur les chaussettes de l'archiduchesse, la coccinelle à qui un bousier a rendu visite, sur la Puce Magouilleuse, ses frasques et ses friponneries, sur les cafards savants aussi... J'ignore ce qui nous a fait opter pour le répertoire enfantin. Nous avons rivalisé de petites histoires, cela nous venait aisément, nous avons grandi avec les mêmes livres. Nous sommes entrées dans une sorte de transe, dans la réalité des mots bruissants tressés dans des mondes inaccessibles à d'autres. Notre amie uruguayenne restait assise, hypnotisée, demandant parfois de quoi il était question. Ensuite, surprise, elle ne comprenait pas pourquoi tous nos poèmes parlaient d'insectes. Après Brzechwa vint Tuwim avec une Dame Rossignol éplorée dans son petit nid sur un acacia, ensuite – soudain – Minkiewicz avec *Lénine à Poronin.* Neurochirurgie, Toronto, infirmière noire au prénom exotique de Princess, soif, boire, impossible, voilà, voilà, tout de suite, le chirurgien finit avec le précédent, troisième, cinquième heure d'attente. Et nous : *A la petite gare du hameau de Poronin/Comme le train s'était arrêté en grinçant sur les rails/Le père descendit du wagon, et après lui/Le fils sauta vivement sur le quai.* H. nous soufflait des vers et des refrains. *Mes anges,* disait-il, *mes anges.* A nous ? A lui-même ? Il attendait nos paroles familières, de là-bas, du Vieux Monde, d'un espace que rien ne menaçait. Peut-être de l'époque où sa mère était à ses côtés et où il n'avait rien à craindre.

Par moments il dérivait, s'enfonçait en lui-même, toujours attentif à notre présence. Je crois qu'à la fin nous nous sommes mises à chanter. Des chants de partisans et des airs patriotiques, des rengaines du réalisme socialiste triomphant sur la voie de circulation rapide à Varsovie, la fameuse W-Z, les nouveaux chantiers et l'autobus rouge qui file dans les rues de la ville… Berceuses enfantines. Toronto devenait lourd de sens.

Tard dans l'après-midi, les portes du bloc opératoire se sont refermées sur lui.

Une autre attente commençait.

Je pense au ghetto. Constamment, de manière obsessionnelle. Aux souffrances que ceux-là ont dû supporter. Ils les ont supportées. Comment et grâce à qui, avec l'aide de qui ? Comment ils ont pu, comment ils ont dû, comment ils sont restés, comment nous sommes restés marqués, élus pour la douleur, le désespoir, le combat. Non, je ne demande pas pourquoi.

Ils avaient peur. Et moi aussi j'ai peur. Ils avaient peur pour eux-mêmes et pour les leurs. J'ai peur pour toi. Ils n'ont pas su tout de suite qu'ils étaient condamnés. Comment peut-on persévérer, sachant que le verdict n'est qu'une question de temps ? Que faire des journées, des nuits, des semaines, des heures qui restent alors que j'ai déjà épuisé mes facultés de combat ? Combien en ai-je encore devant moi ? De quoi les remplir ? De quel quotidien ?

Je pense aux livres dans le ghetto. Au fait que j'ai moi-même perdu la foi dans le livre. A quoi bon lire ? Comment puiser de la force dans la lecture ? Avec quoi s'identifier, que chercher dans des pages imprimées qui marquaient naguère les limites de la connaissance et qui sont soudain devenues vaines ? Je ne trouve nul secours dans le verbe. Dans la prière, je n'ai pas appris.

Attente. Attente de quoi ? Du miracle ou de la perte ? Travailler à ne pas penser, ne pas attendre. Ne pas observer avec anxiété les signes, les présages du mal. Gommer la perspective du désastre. Écouter de la musique. Je ne sais pas. Lire. Occupation absurde face à l'ultime dénouement. Des mots plus désarmés encore que n'importe quoi d'autre.

Non, je ne compare pas avec l'autre souffrance. Une situation tragique est tout aussi insoutenable et constante.

Quelqu'un a dit que je construis artificiellement en moi une carte des dangers. Il ne sait pas ce qu'il dit.

H. croit que nous avons été sauvés par mon côté polonais, grâce aux paysans solides, aux gènes de mes ancêtres de Lodz, ceux de la terre, du labour, du chemin de fer et des locomotives à vapeur. Cette force, selon lui, m'a façonnée, m'a déterminée au combat et n'a pas permis que je me rende. Selon lui, ce soutien m'est venu de ma grand-mère paternelle, celle des œufs de Pâques et des chants de Noël, du devoir de persévérance et de maîtrise du quotidien. Je le crois.

J'observe mes facultés d'adaptation. Cet art de la survie, on l'appelle ici *survival skills.* Cela concerne toute situation à risque, le dictionnaire parle de tempêtes, de tremblements de terre, de survie dans le désert ou dans la jungle. Il faut s'en sortir, trouver de la nourriture, de l'eau, allumer du feu, panser les blessures. Triompher du danger. Survivre.

Pour moi, les *survival skills* c'est survivre à la guerre. Les Juifs ont cette faculté, et donc nous deux. Nous la tenons de nos mères en guerre, de leur peur marquée par l'audace et la nécessité de survivre. Pour ce qui est de notre prédestination, nous nous en tirerons sans une plainte. Toujours préparés au pire.

Un mur – référence au ghetto. Un mur en moi, entre moi et le monde. Entre le monde des bien-portants et celui des malades. Pas de compréhension, d'empathie possible. Malgré les tentatives.

Mais où étaient alors les amis ? Tous ceux dans les bras desquels je me cachais à moi-même et me dissimulais la vérité ? Quels murs, encore, nous séparaient ? Jusqu'à quel point peut-on pénétrer le désespoir d'autrui ?

Le désespoir se laisse-t-il apprivoiser ? Comment le laisser entrer chez soi ? Par la grande porte ou par une porte dérobée ? Et s'il s'installe, fait-il l'important ou se cache-t-il dans les coins, s'agite-t-il ou a-t-il peur ? Qui lui donne autorité sur nous, sur moi ?

Je cultive l'espoir, pour ma perte.

14 mai 2005

H. dort beaucoup, dopé à la codéine il fait de drôles de choses, dans la nuit il est parvenu à sortir de son lit à barreaux, on l'a récupéré par terre, il s'est fracassé la tête, sa tête entaillée, il ne se souvient de rien, température peu élevée, par instants l'ancien sourire, le plus souvent plongé profond en lui-même, là où je n'ai pas accès. Il récite des poèmes exclusivement en russe, c'est aussi en russe qu'il s'adresse aux infirmières d'ici. Son état n'évolue pas, il ne se sent pas mieux, il n'a pas recouvré la maîtrise de son corps ainsi qu'on l'espérait, il ne se lève pas, ne se redresse pas, ne réagit pas.

16 mai

Journée entière à l'hôpital. Les médecins évitent la confrontation. Le docteur Gentili s'entretient avec moi à la porte. Il ne pensait pas que se produirait pareille aggravation. Il ne voit aucune chance. Il s'excuse, il a sa visite à faire, il a des problèmes importants.

L'autre médecin de service confirme les propos précédents. L'état ne s'améliore pas. Il est peu probable qu'on engage la poursuite du traitement par la chimio et les rayons. J'erre dans les couloirs, je tends l'oreille à l'espoir, je m'enfonce dans le désespoir. Je me blottis dans les bras qu'on me tend. Je pleure. J'ai avec qui partager ma douleur. Je sais que c'est une grâce. Je me révolte, je me cogne la tête au mur. Il y a tant de gens qui prient, qui lui adressent des pensées, tant de gens qui l'aiment, et puis ??

Une foule de gens.

Comment supportes-tu cela ?

Et qui serais-je sans ces gens-là ?

Conversation autour de la supériorité de la Volvo sur la Saab, sur la Constitution du 3 mai, sur le général Komar et la guerre civile en Espagne. Parfois d'anciens monologues resurgissaient, par exemple sur le fait que le fanatisme des Juifs au service du communisme est un mythe, ou bien sur l'identité de ce qu'on appelle un Juif caché, c'est-à-dire d'un caméléon plus dangereux que le virus HIV transmis sans commettre de péché.

Difficile de s'entretenir avec lui sans témoins, dit Stefan qui est comme un frère et qui est venu de Stockholm pour être avec lui.

Parfois il y avait un défaut de coordination culinaire. Tu recevais alors plusieurs bouillons et, le même après-midi, tu avais le choix entre diverses côtelettes. Une concurrence sentimentalo-culinaire s'établissait entre tes femmes. Il y avait tant de mains pour te nourrir. J'étais reconnaissante à chacune. Mais à ce moment-là, au mois de mai, tu perdais souvent connaissance, tu tombais en léthargie. On branchait la perfusion. On se résolvait à t'alimenter par intraveineuse. Les soupes abandonnées s'entassaient dans le frigo des patients. Vers la fin de mai, j'ai eu peur qu'en juin, il soit déjà trop tard pour les visites. État critique.

Maciek, un garçon juif aux allures d'authentique Polonais, aux yeux bleus, un côté gavroche, bien bâti, fort – il avait tellement entendu mes pleurs. Je ne sais pas pourquoi les hommes comme lui me donnent le sentiment d'avoir un appui. M. fume et boit et a les mains dures. Il donne l'impression d'être un dur. Il est rude. Il était généralement affectueux. Nos vodkas communes étaient l'expression d'un désespoir extrême. Le désespoir d'une femme qui perd un homme et d'un homme qui pleure un ami et sa propre jeunesse.

Je ne connaissais pas M. Depuis une dizaine d'années je rencontre souvent les amis et les relations de H., mais M. n'avait pas partagé ces derniers mois avec nous. Juste après l'opération, H. a commencé à le réclamer. M. était parti en Biélorussie où il a installé une série d'usines d'emballage pour le verre. Enfin il était revenu. Comme un frère prodigue. Et il est resté. H. rit de ses blagues salaces, se querelle à propos de la Pologne, de l'Irak et d'Israël.

C'est M. qui a été le plus important pendant la radiothérapie. Lui seul, après des quarts d'heure d'efforts de persuasion, parvenait à calmer H. et à faire en sorte qu'il reste quelques dizaines de secondes sans faire un geste. Trente, et trente encore, une minute en tout, de chaque côté de la tête. Rayons, danger, interdiction d'entrer !

Nous descendions H. sur son lit d'hôpital, avec la perfusion et le cathéter, du dix-septième étage au sous-sol.

L'infirmier, M. et moi. Parfois quelqu'un d'autre de ses amis qui voulait suivre sur l'écran l'attaque du cobalt contre la tête de H. J'étais seule avec M. à entrer dans la pièce où se déroulait la radiothérapie. Un instant. Avec l'aide des thérapeutes il fallait faire passer H., relié à de nombreux tuyaux, sur une autre civière qui faisait partie de cette installation spatiale. D'abord on lui fixait sur la tête un casque en résille de plastique blanc fait sur mesure. On le fixait à l'arrière avec des vis. Une muselière sur le crâne. Une cage. Première étape de la torture. Immobilité forcée. Ensuite il fallait attacher le patient afin de s'assurer que le flux des rayons touche l'endroit désigné. Nous participions à un film de science-fiction. Cabine de pilotage d'un avion de chasse, équipement de submersible ?

Il fait froid. H. a peur. Il est étendu sur le dos, attaché. En haut, un œil rouge, maléfique, clignote. *Ça va, ça ira bien. Maintenant il faut qu'on te laisse.* Je l'embrasse à travers le grillage de la muselière. Je lui caresse les mains, les place l'une et l'autre sous la sangle. Nous fuyons. Pour que ce soit plus rapide et plus efficace.

Portes hermétiquement closes. Nous prenons place devant l'écran, de l'autre côté.

H. a déjà dégagé une main, tourné la tête. Il tente de se libérer des sangles qui ligotent son corps. *Herzel* – la voix de M. parvient à H. à travers le micro –, *Herzel, du calme. Cache ta main, cache ta main. Herzel, prends-toi les couilles, tiens bon.*

Il rejette sa couverture. Encore et encore. M. constamment près de lui, aller et retour. *Les couilles, Herzel, attrape-toi les couilles. Le zob ça marche aussi. Ne lâche pas.*

Encore un instant. Ça y est presque, encore, tiens bon. Trente secondes comme une éternité. Soulagement.

Nous étions heureux lorsque ça réussissait. Cinq séances interrompues par une pause lorsqu'on l'a cru mort. Chacun chez soi, ensuite, se soignait à l'alcool.

Fin mai. De cela, tu n'as pas souvenir. Tu émergeais alors rarement à la surface du réel. Grande chambre claire à l'hôpital Princess Margaret, juste à l'entrée du service, la première à droite. Un flot de gens s'écoulant vers toi en permanence. Les visiteurs devaient s'enregistrer au bureau des infirmières, mais les nôtres étaient indomptables. Ils arrivaient de partout, de New York et d'Ottawa, de London Ontario et de Stockholm, de Paris, de Washington, de Varsovie, de partout. Avec des fleurs, des bocaux de friandises. Tous voulaient s'associer à ton sort, à ta maladie, à l'adieu. Un jour j'en ai compté jusqu'à trente-sept.

Je leur en étais reconnaissante et puis, brusquement, je basculais dans l'hystérie – c'était insupportable, tu ne pouvais plus respirer, ils t'étouffaient, ils t'écrasaient.

Tu t'éloignais. Ils voulaient te ressusciter.

Ils apportaient l'espoir. Ils emportaient le désespoir.

Ils se penchaient sur toi, s'efforçaient de faire surgir un prénom, des images.

Heniek, Henryku, Heniutka, appelaient-ils, disaient-ils, chuchotaient-ils. *Henry, Henry are you there, tu es là ? C'est moi, tu sais qui je suis, c'est moi, souviens-toi, pourtant tu sais bien, moi, moi, moi.*

Camarade de classe, amie des premières années de l'émigration, copain de Varsovie, proscrit de Mars, avocat d'ici, en polonais, en anglais, en russe. Amis, c'est-à-dire la famille d'élection. Ceux qui s'étaient levés à l'appel : la famille décide. Mon soutien.

Mon petit lièvre, implorait Olga, *Zaïka*[1], *ne t'en va pas, écoute la chanson sur le capitaine, ulibnis*[2], *souris. Un peu de bouillon, une cuillerée, une toute petite cuillerée.* Gestes larges du rabbin M. (supplication, exclamation) : *Il me reconnaît, il n'est pas encore prêt, n'est-ce pas que tu n'es pas prêt, tu reconnais le rabbin M. ?* Regard égaré : *Molodiec*[3] !

Serviettes humides sur le front, massage des pieds, jeux d'éventail, mouvement, chaos, action. N'importe quoi, pourvu seulement que cela le tire de sa torpeur.

Nous chantions des chansons russes (*Katioucha* !), parfois en chœur, à une dizaine. Ensuite des chants de partisans : *Des boutons de roses blanches ont éclos* et *Je ne puis venir jusqu'à toi aujourd'hui.* Lucie racontait des histoires graveleuses venues de l'école polytechnique, Maciek la secondait, Elzbieta récitait des poèmes patriotiques (Broniewski !), quelqu'un d'autre entonnait un petit refrain montagnard. Nous nous efforcions de jouer le plus efficacement possible dans ce théâtre du désespoir où il ne s'agissait de rien d'autre que de survie.

D'un signe indiquant qu'il n'était pas trop tard pour rebrousser chemin.

Tout bas, les oncles faisaient allusion à l'enterrement. *On arrangera ça. Tu peux compter sur nous.* Mais je les en priais : *Pas encore. Pas encore.* Parfois tu ouvrais les yeux, tu promenais tes regards alentour, attentif et étonné. *Où suis-je ? Nous sommes près de toi.*

Bienvenue à Varsovie, tu ne t'attendais pas à être ici, as-tu dit un jour à un ami, un juriste canadien. *Ça te plaît chez*

1. En russe : « Petit lièvre ».
2. En russe : « Fais un sourire ».
3. En russe : « Le gaillard ».

nous ? Au bout d'un moment tu as débité un monologue sur la mafia philippine qui avait envahi notre maison et le jardin de Toronto. Tu insistais sur le danger et tu exigeais une intervention immédiate pour régler cette affaire. Il t'est arrivé une fois de me confondre avec ton ex-femme. Tu mélangeais les langues, c'est en russe que tu te sentais le plus à l'aise.

Tu faisais beaucoup d'efforts. Tu tentais péniblement d'extraire de ta mémoire des visages qu'il fallait assortir à des prénoms ou à des événements. Ils semblaient coupés de leurs racines. Traits, lieux, paysages, liens. Constellations chancelantes de destins et de chronologies. Yeux, oreilles, mains multipliés, près, plus près.

Nous avions l'impression, tous ensemble et chacun de son côté, de te maintenir à la surface.

Tu n'as aucun souvenir de ces journées-là.

Tu ne te rappelles rien, sinon une présence qui ne te permettait pas de t'en aller.

J'apprends la langue et l'éthique de l'espoir.

Selon Emily Dickinson, l'espoir est une créature ailée qui se niche dans l'âme.

L'espoir, qu'est-ce que c'est ? Une illusion, une tromperie, l'optimisme, l'attente, la foi ? Sans lui, il n'est pas de guérison. Il faut agir, l'espoir aide à l'action, les buts montrent l'avenir. Par définition l'espoir est donc revendicatif – quelque chose doit arriver comme nous le souhaiterions. Si le médecin peut indiquer le pas suivant au patient il lui redonne des forces, même lorsqu'il le fait en dépit de la science médicale et des statistiques.

Vérité – caractère des phrases formulées qui souligne leur corrélation avec la réalité. Conformité du jugement avec l'état effectif des choses que ce jugement concerne. Aristote l'a ainsi définie dans sa *Métaphysique* : *Dire qu'elle existe d'une chose qui n'est pas est un mensonge, dire de ce qui est qu'il est et de ce qui n'est pas qu'il n'est pas est la vérité.* Saint Thomas d'Aquin a donné trois façons de comprendre la VÉRITÉ. Les médecins miseraient sur : *verum est adaequatio rei et intellectus* (on parvient à la vérité lorsque ce qu'on a à l'esprit est conforme à la réalité).

Le dilemme de la médecine d'aujourd'hui : dire ou ne pas dire la vérité aux malades auxquels le diagnostic ne laisse guère de chances. Voire aucune. Jusqu'à quel point est-il permis au médecin de réveiller l'espoir, comment s'accommoder d'une vérité dont le poids peut tuer ? Entretenir une ombre ou la knock-outer par la sincérité ? Au nom de quoi, de quelles valeurs morales ? Quel est le but de la vérité, en quoi doit-elle aider, vers quoi doit-elle conduire ?

L'éthique classique d'Hippocrate remonte au IVe siècle avant notre ère. Pendant des siècles elle a déterminé la façon de se conduire avec les malades. Les médecins avaient le devoir d'entretenir l'espoir, même au prix d'une vérité passée sous silence. L'époque contemporaine a apporté un changement. Les patients veulent savoir. Ils exigent la franchise, qu'on les traite en partenaires, une implication directe dans le traitement et dans la lutte pour la vie. Mais il arrive constamment qu'on en dise davantage aux patients qu'ils n'en voudraient entendre. Et pourtant ils ont toujours besoin d'espoir. Les médecins commencent à envisager l'espoir d'une autre manière. Ils masquent parfois une part de mauvaise vérité, parfois ils ne mentionnent pas les pires statistiques. Au moment d'entendre un diagnostic de maladie mortelle, le patient est pris dans un piège entre la réalité et les scénarios ultérieurs possibles. Il ignore à quoi s'attendre, il sait qu'il faut avoir peur. L'espoir n'est pas un monolithe. Il suffit parfois d'une incertitude, de la mise en doute d'un diagramme, de souligner que chaque homme et chaque cas sont différents. Les statistiques sont des probabilités, chaque vie est une existence particulière, chaque île a sa spécificité et son océan.

Nous en savons quelque chose.

Il suffit à un malade d'être assuré qu'il se maintiendra jusqu'au carnaval, à un autre qu'il tiendra jusqu'au mariage de son fils, quelqu'un nourrit un rêve d'escalade en haute montagne, un autre de voyage en mer ou de finale d'une symphonie. Quelqu'un achève un tableau, quelqu'un d'autre une conversation ou un récit, n'importe quoi resté en suspens. Faut-il, ou doit-on, les contrarier ?

Comment la vérité épaulera-t-elle la maladie et le traitement si elle constitue une provocation face au désespoir et à l'impuissance ? Dans cette équation, la foi est inestimable, elle suscite une force, éclaire le chemin. Quand bien même ce devrait être l'ultime chemin.

Vous allez vivre deux ans tout au plus. Pareille information peut tuer. C'est celle que nous avons entendue début mai lorsque, amaigri et affaibli par l'opération, H. est apparu pour la première fois dans la salle d'attente de l'hôpital Princess Margaret. Je suis restée longtemps sans pouvoir pardonner au docteur Menard, frêle et pleine de tact, d'avoir osé nous le dire. Une dizaine de jours plus tard, après lui avoir de nouveau ouvert la tête en raison de l'aggravation de son état, on parlait de deux semaines. Ensuite il fut question qu'il ne passerait pas le week-end. A quel point l'espace et l'horizon de l'espoir peuvent changer !

Le patient veut-il la vérité ou cherche-t-il une consolation ? Chacun est différent. Henryk voulait la vérité et des statistiques, moi la vérité et l'espoir qu'il s'agit d'une maladie dont on peut venir à bout. Cela, je ne l'ai jamais entendu, au contraire, à maintes reprises on nous a répété que c'est une maladie mortelle *(terminal illness)* et que les cas de survie au-delà de deux ans sont extraordinairement rares. On ne peut guérir le cancer du cerveau, on peut le freiner, le changer en douleur, le transformer en maladie chronique. Mais c'est difficile, aléatoire.

Je n'ai pas entendu ce qu'ils disaient. Bien que nous écoutions tous les deux. Cela s'écoulait à travers nous sans s'y arrêter vraiment, emporté par un espoir constamment restauré. Ça ne peut pas finir ainsi, notre amour terrassera cette maladie. Nous vivons, nous vivrons.

Nous vivons. Nous vivrons.

Dante a dit que l'espoir vient à l'homme parce qu'un autre homme en est le messager. J'ai souvent voulu que ce messager soit un médecin.

Un médecin touché par la métaphysique, poète et visionnaire, qui se pencherait sur moi et mon mystère avec sollicitude. Car ce mystère est unique, essentiel. Je ne suis pas seulement un cas médical, un numéro dans le registre des diagrammes quotidiens. Je veux qu'il me lise en tant qu'être humain, en tant que moi. Le médecin devrait être comme un biographe. Car la maladie et la mort appartiennent à la sphère de l'âme, pas uniquement du corps.

Pourquoi dois-je partager avec un inconnu que m'envoie le hasard la fréquentation extraordinairement intime de la maladie ? Je voudrais que mon médecin fût Tchekhov – finalement, c'est le métier auquel il s'était préparé –, la plume masculine la plus sensible que je connaisse. L'auteur de *La dame au petit chien* et des *Trois sœurs*, le créateur des plus belles phrases sur la nostalgie était assurément capable de différencier les patients, étant donné son attention tranquille. De les accompagner dans l'effort pour vaincre les seuils nouveaux. Pour un malade, ils sont critiques. Ultimes, peut-être. Il savait attester de leur importance.

Dante s'est intéressé à la médecine comme domaine apparenté à la philosophie. Conan Doyle s'est occupé de spiritualisme et s'est spécialisé en psychiatrie. Des écrivains ont incarné la science médicale. L'auteur du *Maître et Marguerite* (tomber entre ses mains !) était médecin de formation. Janusz Korczak s'est efforcé de pénétrer les âmes de ses petits patients, d'entrer en elles comme dans des êtres inconnus, il a consacré beaucoup de temps et d'attention à les étudier, eux-mêmes et leurs mondes. Il considérait que l'essence de ce métier consiste à franchir les frontières.

La métaphysique est ce qui suit la physique. Pour Aristote, la plus divine et la plus respectable des sciences. Elle s'occupe de Dieu et de la substance extrasensuelle.

J'avais peur de la vérité. J'avais peur de ceux qui nous avaient ôté la force. Je leur en voulais. Je les fuyais. Je ne voulais pas les voir. Ils incarnaient la mauvaise nouvelle, la vérité – une mine à grande force de frappe destructrice. Ils mettaient les illusions en pièces. Or les illusions permettaient de durer. J'ai demandé qu'on ne nourrisse pas H. avec le poison de la vérité.

Scènes de la salle d'attente du Princess Margaret. C'est à partir de là que nous avons commencé à passer tellement de temps ensemble. Je ne quittais pas l'hôpital. On venait à moi. On nous rendait visite à tous les deux. Nous deux, le mourant et la veuve manquée. Ni femme ni mari. Dans sa chambre, souvent la place manquait. Pour les fleurs, pour les larmes, pour le silence.

Nous nous répandions dans les couloirs et dans la salle d'attente – un grand salon plein de lumière, avec des fenêtres sur la ville et sur le lac. Panorama cosmique. Un complexe de plusieurs étages, chacun affecté à une clinique traitant des cancers distincts. Reins et poumons, poitrine et peau, estomac, pancréas, os et sang. Dix-huit étages. La tête – le cerveau sous le plafond. Ascenseurs et appareillage modernes. Dons de familles de malades n'ayant pas survécu.

Cuisine, colonisation de la salle d'attente par les Polonais. Mon équipe – tripes, boulettes, côtes de veau, goulasch et kacha, bouillon – pénicilline juive [1] – et chou farci, poule, poule, poule, préparation collective, service, présentation, le nourrir, rituels de l'hôpital, de la vie, *il mange, ça veut dire qu'il vit, il a de l'appétit – c'est bien, mange, mange, encore un morceau...*

Mon équipe. Mes amis. Mon soutien, mon socle. Comment se fait-il que ces gens-là soient devenus plus importants pour moi que les amis anciens, ceux de l'école et du bac à sable ? A quoi ont-ils participé pour permettre de

1. C'est-à-dire du bouillon de poule...

modifier ainsi mes sentiments à l'égard de ceux qui avaient été jusqu'alors des témoins de ma vie? Protection, confiance, sentiment de sécurité dans une situation de réel danger. Unis face au drame de la maladie, ils ont trouvé en eux-mêmes d'inépuisables gisements de patience et de douceur. Le soutien qu'ils m'ont apporté ne m'a pas permis de douter de leur dévouement et de la foi qui nous était commune : rien d'irrévocable ne peut se produire.

Je n'imagine plus ma vie sans eux.

Ils viennent de diverses couches du passé, d'îles lointaines et proches, de maisons voisines et d'autres continents. De l'enfance, de la jeunesse et de l'instant d'avant. Ceux qui nous connaissaient depuis des années et ceux qui ne t'avaient pas abordé plus tôt. D'autres voguent (ont vogué), apparaissent (sont apparus).

Toute une palette de gestes d'amitié. Une présence qui réconforte et donne l'ombre d'un sentiment de sécurité. Présence-silence, présence-conversation. Présence active. Effleurement. Embrassade, caresse, baiser. Consolation, apaisement, soulagement. Ici on appelle cela : *comforting*. Aussi bien une présence apaisante que de la nourriture, par exemple. *Comforting food*, c'est-à-dire cette nourriture dont on se souvient depuis l'enfance. C'est la même chose avec une présence affectueuse. Tu cesses de réagir spontanément, tu as moins peur sous l'anesthésie d'une présence amicale.

De ceux qui étaient déjà ses proches, seule Ewa est restée avec moi et près de moi. Certainement aussi parce qu'elle est venue de Varsovie jusqu'ici en toute hâte. Et cela par deux fois. Pleine de verve et d'énergie, c'est elle qui a provoqué, dans une certaine mesure, les deux mariages. *Tu le veux, je sais que tu le veux, je m'en vais après-demain, ce sera donc demain.* Elle a fait venir le consul polonais à l'hôpital. Nous pleurions tous les trois auprès du lit de H. *Rien n'est prêt, je n'ai pas de robe. C'est sans importance.*

Qu'est-ce? Un effet de l'initiation, la communauté d'état, l'essence des événements, le contexte commun de l'épreuve. Anxiété. Amplitude de l'émotion. Aide. Don.

Ewa écrit aux autres, en racontant sa visite à Toronto : *L'amour de A. et l'amour des gens autour d'eux sont comme un médicament qui donne de la force à H. et aide A. à se retrouver elle-même à nouveau.*

Notre voisine canadienne nous accroche chaque jour à la poignée de la porte des petits pains sucrés qu'elle a cuits elle-même pour le déjeuner. Je te les porte à l'hôpital, tôt le matin, en même temps que le café au lait acheté au « Second Cup », comme toujours, comme avant. Ils sont à ton goût. Tu n'abandonnes pas les rites du quotidien.

Ewa a raison : avec toi nous apprenons. Nous apprenons tous. Le courage, l'art de la lutte et de la souffrance, et comment donner, ne pas prendre. Si ta vie a été si riche, c'est que tu savais comment donner – te donner toi, donner ton temps, ton attention, ton cœur. C'est ma grande leçon.

Comment se fait-il que tu ne sois pas mort ? Je ne t'ai pas permis de t'endormir. Tu avais perdu connaissance et cessé de respirer. J'ai tenté de te réveiller, sans résultat. Il me fallait à tout prix te réveiller. J'ai supplié, parlé, appelé, je t'ai secoué, *je t'en prie, respire, pas encore maintenant, je t'en prie.* Tu revenais à toi un moment pour t'affaisser de nouveau. Je n'ai pas permis aux médecins de renoncer, bien que ce ne fût pas facile. Ils voulaient que tu t'endormes, que tu t'enfonces dans le sommeil, dans le non-être où ils t'avaient déjà enseveli. *Il n'a pas mal,* expliquait le médecin de service, le docteur L., *il ne souffre pas, il n'a pas conscience de ce qui se passe. Il est temps, il faut prendre congé de lui pendant ce week-end, veuillez informer les proches et la famille.* C'était le 24 mai, la veille de mon anniversaire.

Prendre congé ? Pas encore, docteur. Pas lui, pas nous, pas dans ces circonstances. Ne peut-on plus rien, absolument plus rien faire ?

Pour lui, à vrai dire, rien. Pour vous. Comme un acte de charité.

Peu importe comment on appelle cela. Agissez. Maintenant, immédiatement. Double dose de corticoïdes par intraveineuse, triple, tout ce qu'il faut pour l'aider encore, à cet instant, tout ce qui est en votre pouvoir. Je vous en prie.

Charité – forme active de la compassion qui s'exprime dans une action concrète consistant en une aide désintéressée (!).

Je sais que tu ne m'aurais pas permis, toi non plus, de m'en aller. Dès lors qu'il existe la plus infime chance, si elle existe. Ils avaient tous perdu la foi. J'étais restée seule.

Jamais je ne t'ai dit que tu étais mort.

De quelle force, de quel poids ce qui est tu, ce qui entre nous n'a jamais été dit.

Pour le mariage, le 1er juin, Olga avait choisi les toilettes – pour moi (un tailleur en dentelle couleur vieil or, souliers roses) et pour H. (un costume Armani noir). Je n'étais pas en état de décider quoi que ce soit. J'ignorais si j'étais l'héroïne de cet événement ou un témoin. Lorsque nous sommes arrivés à l'hôpital, une heure avant l'horaire fixé, H. était allongé sur son lit et dormait. Sur le dos. Il était habillé de pied en cap. Il flottait dans son costume qu'il avait du mal à boutonner avant. Ses chaussures aussi avaient l'air d'être celles d'un frère aîné.

Il n'arrivera pas à marcher avec ça. A aller à sa noce.

Mais enfin, il n'a pas à marcher.

Il ira. On arrangera ses pieds sur le fauteuil roulant, ils ne tomberont pas.

Un jeune marié si maigre, si pâle. Blanc comme le drap sur lequel il reposait. Visage défait, gris. Ces temps-ci les yeux l'éclairaient. Éclat artificiel, existences à part, appel à l'aide. Rendus ternes par le pressentiment. Luisants de fièvre.

Nous avons tenté de le réveiller, ou peut-être de le faire revenir à lui. *Krassavietz takoï, molodietz, siegodnia tvoïa svadba*[1]. Sans réponse.

Je me suis changée dans la salle de bains de l'hôpital pour revêtir ma tenue de mariée. H. dormait.

Mariée dérisoire, qui n'a pour miroir que les accessoires de l'invalidité au lieu des yeux du bien-aimé.

Juste après, panique, peur qu'il ne se lève pas, qu'il soit trop tard, peur que la vie s'arrête. Peur que le consul, l'aigle

1. En russe : « Mon joli jeune homme, aujourd'hui c'est ton mariage. »

polonais et les invités attendent. La salle du rez-de-chaussée est comble, on peut à peine respirer. M. a apporté une rose blanche pour sa boutonnière. Il faut un médecin. Il faut prendre une décision. Agir. Piqûre de corticoïdes. Double dose. Il faut le réveiller immédiatement.

Il semble comme derrière une vitre. Zoom arrière. Mise au point. Il me cherche du regard. Il revient. Il est là.

Il faut deux hommes pour l'installer en sécurité sur le fauteuil roulant. Les infirmières nous font signe de la main lorsque nous passons près de leur bureau. Ascenseur pour le rez-de-chaussée, dix-sept étages. *Les alliances. Qui a les alliances ?* Le frêle docteur Menard, dont les rayons l'ont presque tué, pénètre dans la chapelle. Chapelle interconfessionnelle – ainsi s'appelle ce lieu où l'on célèbre rarement des mariages. Ewa dirige le mouvement. Derrière la porte je l'entends expliquer quelque chose d'une voix forte. Il paraît qu'il n'y a plus de places assises. C'est ce que disent ceux qui viennent nous saluer. C'est déjà l'heure. L'heure. Tout le monde est à l'intérieur.

Je pousse le fauteuil. Mon bouquet de noces dans la main droite (anémones roses et tulipes blanches). H. cherche tout le temps l'autre main, comme pour vérifier qu'il n'est pas tout seul. Quelqu'un m'aide, quelqu'un tient la porte. Nous sommes à l'étroit, mains tendues vers nous de toutes parts, nous avançons lentement à l'intérieur. *What a wonderful world...* La voix gutturale, ténébreuse, nous étreint et reste comme suspendue. Louis Armstrong. Chant, prière? Des dizaines de regards fixés sur nous. Je souris. Comme il fait chaud ici. *J'ai froid,* dit H. au même moment. Nous atteignons la table.

Le consul s'excuse, en anglais, du fait que la cérémonie se déroulera en polonais. Il doit en être ainsi eu égard au protocole et à la validité de l'union. *Ja, Henryk... przyrzekam. I slubuje ci milosc, wiernosc i uczciwosc malzenska*[1]. A un certain moment il s'arrête, silence d'un instant trop long. Soulagement. Il poursuit. A moi maintenant. Séquence de mots. Conformément au protocole. Actions mécaniques pour ne pas perdre contenance, pour ne pas s'effondrer. Moi je n'en ai pas le droit. Je suis responsable de lui. De nous. De notre couple (!). Pour un instant, pour la vie. A la vie et à la mort ?

Je tiens à peine sur mes jambes flageolantes. J'ai l'impression qu'il en est de même pour chacun. Nous tanguons dans l'éclat des larmes qui scintillent. H. tient ma main et la couvre de baisers.

Moment d'anxiété, il faut apposer la signature, sans signature c'est nul et non avenu. Réussira-t-il à tenir le stylo ? Il essaie. Il fait des efforts. Encre et anxiété.

Au premier rang, l'oncle de H., Janek, le plus jeune frère de son père, avec sa famille. Et l'oncle Martin, veuf de la tante de H., la sœur de sa mère. Il y a les deux fils de H., cheveux bruns, ils ressemblent à H., en chemises claires. Le plus jeune, surexcité et joyeux comme toujours, l'aîné comme toujours ténébreux. A part E., aucun des miens de Varsovie. Décision trop soudaine pour jongler avec les horaires de vol. Lorsque nous avons échangé les alliances, nos amis ont reçu des petits bracelets bleus symboliques du Fonds de lutte contre le cancer. J'ai observé leurs regards. Heureux. Pourquoi pleurent-ils ?

1. « Moi, Henryk... je promets. Et je fais pour toi vœu d'amour, de fidélité et d'honnêteté conjugale... »

Tarte (meringuée à la framboise – Olga) et champagne sur la terrasse de l'hôpital aussitôt après la cérémonie. H. en a mangé deux morceaux et, à bout de forces, a posé pour les photos. Il a dormi tout l'après-midi.

A la réception du soir, dans la grande salle d'attente au dix-septième étage, il est apparu en chemise blanche et pantalon de pyjama. Le personnel de l'hôpital a partagé les spécialités polono-juives avec nous : hareng et saumon, foie à la juive et jambon, filet de porc, saucisse paysanne et saucisses fumées, cakes, quatre-quarts et chocolats. Tout, sauf de la vodka. Je suis sûre qu'ils n'avaient pas souvenir, là-bas, d'une invasion pareille.

Nous étions bruyants. Puérilement fiers de nous. Du fait que tout de même, que malgré tout, que pourtant, que oui... nous étions un peu ivres. Vers dix heures notre infirmière préférée, Daphne, m'a prise à part. Elle s'excusait, mais c'était tout de même un hôpital et peut-être était-il l'heure de mettre un terme à la fête.

Le lendemain, seulement, j'ai appris que la jolie jeune Turque de la chambre voisine, qui n'avait jamais porté une cigarette à ses lèvres et qui souffrait depuis des mois d'un cancer des poumons, s'éteignait justement à ce moment-là.

J'étais passée près de sa chambre en me rendant à la cuisine. Une dizaine de fois chaque jour. Pendant de nombreuses semaines. Pour réchauffer la soupe ou prendre des fruits dans le réfrigérateur, préparer des tripes ou faire du thé. Elle était généralement assise sur son haut lit d'hôpital, penchée en avant sur un inhalateur en verre, et elle toussait, râlait, s'épuisait, vomissait. J'essayais de détourner la tête mais je revenais constamment à cette image fugitive qu'on parvenait à saisir sans s'arrêter. Ses parents, parfois, étaient assis dans la salle d'attente. Silencieux. Pétrifiés. Nous leur proposions quelquefois des sucreries. Ils ne parlaient pas l'anglais. Sa sœur aînée racontait en pleurant que tout leur espoir était dans la nourriture. Tant qu'elle mangeait tout était encore possible. Tant d'amour dans la préparation des repas. La petite mangeait de moins en moins.

Nous avons changé plusieurs fois de chambre à cet étage. Après la chambre double où H. a pris congé du monde, où je restais avec lui pour la nuit, ils nous ont déménagés deux fois. Lorsque, pour la première fois, j'ai vu le lit fait dans la chambre d'à côté, j'ai éprouvé un soulagement. De voir qu'on avait réussi à sauver quelqu'un. Je me rappelle le regard de Daphne, l'infirmière, lorsque je lui en ai parlé. D'ici, il est rare qu'on rentre à la maison.

Elisabeth Kübler-Ross avait dix-neuf ans lorsqu'elle s'est rendue au camp nazi de Majdanek libéré peu auparavant. Dans les baraques où des enfants avaient passé leurs derniers instants elle a vu des papillons sur les murs. Elle a consacré sa vie à pénétrer la substance de ces signes. Elle est devenue psychiatre.

Il m'a fallu cinquante ans pour comprendre qu'il n'y a pas de hasards dans la vie – même les événements tragiques, nous pouvons les traiter comme une chance et une impulsion au développement intérieur.

En tant que psychiatre elle a décidé de tirer un enseignement de ses patients. Elle s'est concentrée sur le processus psychique de la mort.

Elle a suivi des études dans sa ville d'origine, Zurich, et ensuite à New York où elle a publié plus de vingt ouvrages et travaux scientifiques. Les plus importants, *On Death and Dying* (« Sur la mort et les mourants ») et *Five Stages of Grief* (« Cinq étapes du deuil »), appartiennent aux textes canoniques sur la mort.

Elle a recueilli les histoires de plusieurs milliers de malades mortellement atteints. Elle a noté ses conversations avec les mourants. Plusieurs milliers de fois elle s'est résolue à la confrontation avec l'inéluctable. Elle posait des questions, elle écoutait les patients et ceux qui accompagnaient leur départ. Jeunes et vieux, bardés de titres et sans instruction, pauvres et riches – leur cheminement vers le terme paraît être le même.

Kübler-Ross a tenté de le décrire. Selon ses études, la confrontation avec la réalité de la maladie passe par plusieurs étapes. D'abord il y a le choc, la réfutation, le rejet, le désaveu du diagnostic, l'invalidation du verdict au fond de soi. Plus on approche d'une prise de conscience de la vérité, plus la révolte est grande. La révolte, c'est-à-dire la colère et l'indignation. Plus tard vient le marchandage. Avec qui ? Le destin, Dieu, le temps ? Pas maintenant, il y a encore ceci et cela, pas le moment, pas aujourd'hui. Peu après vient la dépression. L'abattement. Le creux. Et ce n'est qu'après la dépression que vient la capitulation, la résignation, le consentement, l'acceptation. Et avec, le soulagement. Chacune de ces phases est accompagnée d'un sentiment de culpabilité et d'inquiétude. La peur est toute-puissante.

De l'expérience de Kübler-Ross il résulte que les patients atteints d'une maladie mortelle veulent parler de leur départ. Face à la mort ils cherchent une entente avec leurs proches, avec eux-mêmes. Ils s'ouvrent, ils ne se replient pas. La confrontation avec l'inéluctable leur permet de pénétrer sur le terrain de la métaphysique.

Les formulations sans équivoque de Kübler-Ross ne plaisent pas à tous les psychologues. Ils estiment qu'elle ne prend pas en considération la diversité de la maladie ni ses étapes successives, pas plus que la personnalité du malade et les caractéristiques de son entourage. On s'est évertué, avec raison, à faire observer qu'il n'existe pas de modèle type de la mort, que chaque cas est isolé et unique. L'homme, c'est-à-dire le patient, l'homme, c'est-à-dire l'être, a ses propres caractères, ses propres dispositions, ses propres idées sur lui-même et sur la mort, ses propres obsessions et son scénario du verdict.

Notre chemin à nous est l'illustration de la force de H.

Je rentre de l'hôpital tard le soir. Souvent à pied, les nuits de printemps sont douces avec leur doublure de larmes. La maison soudain silencieuse est trop vaste, comme la chemise d'un frère aîné. Ta chemise. Je m'y suis blottie, je reconnais ton odeur. Je ferme les yeux.

La chambre est trop grande pour moi seule. Trop grand aussi le lit. L'espace autour de moi prend de l'ampleur.

… je ne puis dormir,
en balbutiant ce pronom, « tu », je tente d'émouvoir
l'oreiller alors que mon corps, cet insensé miroir
veut reproduire l'ébauche de ton souvenir[1].

Tu admirais le talent de traducteur de Baranczak. Brodsky a souvent visité nos pensées.

1. Emprunté à Joseph Brodsky, d'après la traduction de Stanislaw Baranczak en polonais.

La vérité, fût-elle la pire, répète H. La vérité, c'est-à-dire l'information, afin de savoir sur quoi l'on prend appui, où l'on est, ce qui nous attend. Afin de pouvoir prendre les décisions qui s'imposent. Je me souviens qu'il avait exigé un verdict sans équivoque fin mars, après qu'on eut effectué tous les examens. Le docteur Gentili a demandé s'il était prêt. Il n'a pas hésité. On nous a invités devant l'écran de l'ordinateur et on nous a montré successivement une dizaine de clichés. La tumeur maligne, grande de cinq centimètres et demi sur cinq centimètres et demi, comme une belle mandarine. Dans le lobe postérieur droit du cerveau, étalée, mais l'emprise de ses tentacules est plus large encore. Images suivantes, coupes longitudinales et transversales, l'une avec l'autre, l'une après l'autre. Hachures, pétales, lamelles, morceaux. Aucun doute, c'est bien sa tête avec ce nez caractéristique, comme sorti des portraits flamands. Pronostics. Nécessité. Statistiques.

Je me souviens de mes affrontements avec les oncologues pour qu'ils ne l'informent pas en détail de l'aggravation de son état qui laissait de moins en moins d'espoir. J'ai eu recours à nombre de ruses, y compris à l'argument selon lequel je viens d'une autre tradition et d'une autre culture aux racines est-européennes qui me commandent de comprendre différemment le monde.

Et si on n'opérait pas, qu'allait-il se passer ? Combien de temps nous restait-il ? Nous y avions réfléchi la nuit précédente. H. disait que si nous avions eu six bons mois nous aurions pu partir en voyage et être heureux. *Combien reste-t-il ? Pas beaucoup. Combien ? Quelques mois. Sous quelle forme ? Ce sera de pire en pire. Il n'y a donc pas de choix.*

Quelqu'un m'a dit que deux épouses du docteur Gentili étaient mortes d'un cancer. Il n'avait pas été en mesure de les sauver.

Un neurologue de notre connaissance, Alan F., avait débattu de la même chose fin mars, dans la salle d'attente de l'hôpital. Les statistiques sur le glioblastome de quatrième catégorie donnent de deux à dix mois de vie. Phrases suivantes comme taillées au couteau. Le professeur est tout à l'ardeur de son exposé. Il ne se rend pas compte de l'effet que ses paroles produisent sur les autres. H. écoute avidement, moi je glisse dans l'abîme. Qu'il cesse de parler. Immédiatement. Maintenant. Alan F. est devenu mon ennemi pour de longs mois. Deux ans et la tentative pour transformer cette maladie en maladie chronique constituera un miracle. Car il n'y a pas de remède à plus long terme. On peut prolonger la vie par la chimio. Leurrer la tumeur. Pour un temps. Jusqu'à ce qu'elle cesse de réagir, qu'elle résiste au poison.

H. voulait entendre cela. Moi je ne pouvais pas. En outre je considérais ce genre d'information comme de la cruauté.

10 juin 2005

Depuis hier, chimio. Cinq séances par cycle de vingt-huit jours. Prochaine visite le 7 juillet. Espoir. Et ensuite, sans doute jeudi de la semaine prochaine, à la maison. Il n'y a pas d'échappatoire. Nulle part ailleurs.

Je me rappelle mes veilles. Veiller c'est être présente. Être ensemble, être avec lui, être près de lui. Tendre l'oreille dans le silence des crépuscules hospitaliers, quand le monde médical s'est acquitté de sa routine, une fois les soins finis et les casse-tête médicaux en cours résolus. Quand refluaient les foules quotidiennes de visiteurs. Je me souviens comment, avec Andrzej et Elzbieta, nous lui avons donné pour la première fois le poison vivifiant.

Pour la chimio il fallut batailler, parce qu'elle est réservée à ceux à qui l'espoir est permis. On nous avait exclus de ce groupe. J'étais prête à tout – supplications, cris, chantage. Le refus du traitement aurait représenté pour H. l'ultime défaite. Et voilà que j'ai le précieux témozolomide entre les mains, ce nouveau médicament grâce auquel les patients atteints d'un glioblastome ne s'en vont pas tout de suite. Chaque gélule au prix d'un bon téléviseur.

Nous sommes surexcités par cette chance de combat, H. – dans son obstination –, par la possibilité d'une victoire. Nous sommes témoins du cran avec lequel il se prépare à l'attaque.

Capsules blanches et vertes, la première, la deuxième, la cinquième, dans sa bouche, l'une après l'autre, une gorgée d'eau après chacune. Repos. Attente. Comme si nous espérions un rétablissement immédiat.

Nous nous rappelons toutes les mises en garde, nous connaissons la liste des effets secondaires (nausées, mal au cœur, diarrhée, fatigue, perte d'appétit, chute de cheveux, etc., etc., tour à tour), nous mobilisons toute notre volonté pour tenter de les neutraliser. Au lieu de cela nous engageons une discussion sur les femmes. Avec Elzbieta nous provoquons les souvenirs de H., forçons ses confidences. Qui était cette première, laquelle la plus importante, pourquoi a-t-il épousé celle qu'on attendait le moins, et qui plus est : une Tchèque ? En tant qu'homme, Andrzej, par solidarité masculine, conseille à H. de ne pas se laisser faire et de ne pas avouer, mais ça l'amuse lui aussi d'entendre toutes ces histoires. Sur Anna-Cinq-Sous-dans-l'Armoire qui montrait volontiers ce qu'elle avait sous sa robe, sur les lycéennes dont il rédigeait les dissertations de polonais en échange de services érotiques plus ou moins innocents...

A mon âge, de toute façon, la théorie est déjà plus importante que la pratique, disais-tu. Et tu t'appuyais ensuite sur une citation de Hlasko selon laquelle l'élément le plus agréable du jeu amoureux c'est de bouffer après.

Pendant dix semaines de l'été 1969 tu as travaillé comme guide au palais royal de Lazienki. Tu avais des revenus étourdissants, comme tu disais (en comptant cent zlotys pour un dollar de pourboire). Tu te sentais alors plus riche que tu ne l'avais jamais été et ne le serais jamais. Quand les soirées étaient chaudes, sur les vastes escaliers près du cadran solaire, après la fermeture du parc, vous buviez de la vodka à la cerise pour accompagner les carpes rôties que les gardiens pêchaient dans l'étang. De temps à autre vous organisiez des bals qui duraient toute la nuit à la lueur des bougies dans la Vieille Orangerie. En costumes et perruques du XVIIIe siècle que vous aviez empruntés, la conquête des filles était facile. Tu répétais que les jeunes filles sentaient bon comme sentent bon les jeunes filles.

Parmi les questions philosophiques tu t'intéressais principalement au péché (et pas sous l'angle théorique). Tu rêvais des yeux félins d'Ewa H., mais aussi, avec une égale convoitise, du scooter Lambretta de 175 cm^3. Tu disais de toi : athée, sacrilège, ignorant.

Je ne veux pas être un oiseau, t'ai-je dit un jour. Nous étions assis sur la terrasse de l'hôpital de Toronto dans l'air poisseux de juin. Des pigeons allaient et venaient près des patients qui, sur leurs fauteuils roulants, traînaient derrière eux leurs perfusions et autres ustensiles médicaux impropres à la consommation.

Tu ne veux pas d'ailes ? t'es-tu étonné.

Je veux pouvoir toujours te toucher.

Tu avais des yeux sans éclat, le visage défait et mal rasé, la main droite décharnée. En peignoir blanc et bleu tu ressemblais à un étudiant de yechivah souffreteux.

Brodsky, as-tu dit sans prendre le temps de réfléchir, doucement mais avec assurance. *Brodsky : « Je n'ai été que ce que tu as effleuré de ta paume… »*

Je me réveille chaque jour avec la pensée du miracle qui n'aura pas lieu. Au bout d'un moment je me rends compte que j'ai vécu ce miracle. Et à plusieurs reprises ces derniers mois. H. est revenu de loin. Malgré les diagnostics et les pronostics. Malgré la médecine. Mais un autre miracle, et qui dure, c'est la quotidienne présence de nos amis auprès de nous.

Cela doit avoir un lien avec la personnalité de H. Peut-être davantage avec lui qu'avec moi. Il donnait aux autres quelque chose d'infiniment rare – l'attention, le temps, l'amitié. Il se souciait d'eux. Tout l'intéressait. Il offrait aux amis le même sentiment qu'à moi d'être leur soutien. Maintenant que c'est à lui qu'il manque des forces, ils sont à ses côtés, comme un mur. Je me souviens qu'avant ça m'irritait souvent. Ça m'irritait de le voir consacrer tant de temps aux autres. Comme s'il en avait trop, comme s'il devait vivre éternellement, comme si les limites humaines ne le concernaient pas. Il me semblait par trop généreux, il s'offrait lui-même sans s'épargner. Il savait être à tous, à chacun, et voulait l'être, à son fils pour un spectacle scolaire, à l'autre fils pour un match de foot, à un copain pour rédiger son CV en anglais, à une voisine dans le besoin, à une relation perdue de vue depuis un demi-siècle, au portier, au serrurier venu réparer sa porte et au technicien venu dépanner la machine à laver. A chacun. A ceux qui en avaient besoin et à ceux qui suscitaient simplement sa curiosité. J'en étais jalouse. Aujourd'hui je récolte les fruits de son rapport aux gens. Et eux me considèrent comme une des leurs. Comme une part de lui-même. Comme quelqu'un qu'on aime et qui est digne de confiance.

A cette étape ultime nous éprouvons la réciprocité de son ouverture au monde, ce monde qu'est l'autre. Fallait-il que cela arrive pour que je comprenne cette leçon ?

Tu savais aussi établir le contact avec chacun. Je me mettais en colère lorsque tu t'adressais à d'autres femmes par leur prénom, dans un magasin, au café, chez la fleuriste, que tu louais leur coiffure ou leurs bijoux, que tu posais des questions sur leur travail et leur temps libre.

Tu te rappelais les prénoms des représentants des compagnies aériennes et la maladie de l'épouse de notre menuisier, le nom des chocolats suisses préférés des enfants des voisins et les différentes étapes dans la carrière des collaborateurs de nos amis. Tu ne te trompais pas. Tu avais dans la tête un grand ordinateur avec sa base de données et tu en tirais parti à la perfection.

Larmes essuyées, côtelettes cuites et pirojki, soupes assaisonnées (trop de sel par amour), fleurs plantées ou arrosées. J'étais protégée. Comme les plantes et les buissons de notre jardin, comme l'air environnant. Jamais je ne m'étais sentie entourée de tant de sollicitude.

Par Ewa S., qui est comme une héroïne des romans anglais du XIXe siècle, droite et bonne, et pas de ce monde. Par Ana, qui résout les casse-tête des recettes de cuisine avec la même aisance que les mots croisés de l'édition dominicale du *New York Times*, qui ne permet pas qu'on soit triste, qui entretient le rire, maudit le désespoir. Par les sœurs de K., Danka et Marysia, anges, angelots-gardiens veillant à tout : de la kacha aux rognons, aux promenades, à l'organisation de la journée, à tout ce qui est indispensable. Par Elzbieta et Ania, partageant avec moi une généalogie au passé varsovien, dévouées, combatives et invincibles.

Aucune plainte de notre part, aucune larme n'est restée sans réponse.

Quelqu'un dira plus tard que dans notre univers de la maladie, une société d'initiés s'était formée. Un cercle amical s'était constitué où l'on déclinait à tour de rôle la vie et la mort, l'espoir et le désespoir, chacun s'y sentant meilleur qu'au-dehors. Jamais H. n'avait été aussi accessible auparavant, n'avait voulu l'être. Dans la maladie, il s'ouvrait. *Le brio intellectuel,* a-t-il dit plus tard, *ce n'est pas la même chose que la bonté. Je m'en suis convaincu pendant tous ces mois.*

Notre cercle était formé des gens présents sur toutes les scènes de sa vie, des gens de diverses professions, divers groupes sociaux, diverses langues. Lointains, proches, indispensables. Des gens de l'époque de « Hybrydy », club d'étudiants fréquenté par toute la jeunesse varsovienne, et de Mars 68 – aujourd'hui dispersés à travers le monde – comme des gens rencontrés dans le contexte professionnel ou par les hasards du voisinage, de la première bande de copains de Toronto des débuts de l'émigration, médecins et architectes, juristes et enseignants, spécialistes de littérature polonaise, historiens, bibliothécaires, poètes, informaticiens, voyageurs de commerce. Artisans de notre survie. Compagnons d'infortune.

A cette époque terrible, au milieu de cette peur toute-puissante pour H. qui paralysait tout, je n'ai pas cessé de croire aux gens, à l'amour, à l'amitié. Parfois je pense qu'il me sera difficile de quitter Toronto. Nulle part, jamais, je n'ai trouvé pareilles preuves de proximité, de tendresse, de sollicitude.

Je ne sais pas raconter la tragédie de H. Ceux qui étaient à son chevet savent. Et resteront à jamais une part de moi-même.

Les amis de Pologne envoient de l'énergie à travers l'océan. Ils ne participent pas au quotidien de la maladie et du combat. Par la force des choses, ils savent moins. Comprennent moins. Ce n'est pas leur faute. Défaut de la géographie et des moyens de transport.

Re-visit a memory. Je joue avec les mots. Revenir au souvenir. Car enfin, ce n'est pas vraiment le visiter ; visiter s'applique à une première visite. Re-visiter, c'est entrer à nouveau dans le souvenir et procéder une fois encore à un essayage sur celle que je suis aujourd'hui. Est-ce qu'il me va, et comment il me va ? Est-ce qu'il sert, et à quoi ? Que peut bien m'apporter aujourd'hui le fait de retraverser la scène de la maladie, lentement, dans l'ordre, pas à pas ? A quoi cela mènera-t-il ? Je l'ignore. Prendre note. Pour soi, pour lui, pour les autres. Témoignage d'amour et de lutte. De force. De survie. *Survivors.* Une fois encore.

A décrire. Car c'est à nous. C'est notre destin, unique, comme les empreintes digitales, les empreintes de nos mains ensemble et de chacune en particulier, nos mains unies dans ce monde où nous aurions parfaitement pu ne pas nous rencontrer. Attirance, chemin vers soi, amour et écriture, la vie, autrement dit l'écriture par amour et avec amour. Les gens. La passion des gens, pour les gens, nous unissait. Recherche de l'amitié, partage de soi. Tout ce qui est bon, qui nous permet de survivre, les amis nous le donnent. *Poésie et bonté* a rappelé le poète. Bonté, c'est-à-dire ce qu'on a réussi à donner à l'autre. Cela seul nous construit dans le monde, nous procure le sentiment d'une participation et ce lien que rien d'autre ne donne. Telle est ma tardive sagesse.

J'ai changé de maison, de rue, de pays et de continent. Je suis ici avec lui et pour lui, bien qu'il lui soit difficile de s'y accoutumer et d'en convenir. Moi, il me faut tout comprendre – ce qui s'est abattu sur nous, ce qu'il est devenu, l'incompréhensible. Il le faut, car j'ai des obligations spéciales (des droits ?). Il me faut être toute-puissante et il me faut être d'acier. Il me faut être une athlète et un ange. Brave. J'ai horreur d'être brave ! Je l'ai été, déjà, tant de jours, tant de mois.

J'ai passé des heures dans la salle d'attente de l'hôpital. Comme dans un aquarium ensoleillé. L'immense salon vitré avec sa vue de carte postale sur la ville a été pour quelques semaines le lieu de mon quotidien. Témoin du désespoir, de l'épuisement, de l'approche du désastre. J'y étais rarement seule. Et dans ce cas je me balançais, assise sur ma chaise, comme un enfant atteint d'une maladie orpheline implorant grâce. Parfois je m'abîmais dans des rêves vagues, agités, le plus souvent je regardais droit devant moi. Je dessinais en les suivant du regard les silhouettes familières des gratte-ciel, j'atteignais le ciel et le lac. Je savourais l'espace. Il donnait l'illusion de l'infini. Par instants il disait qu'il y a encore un monde au-delà de celui où nous nous trouvons.

Je me rappelle la lumière – mai et juin rayonnaient de vie. Les yachts luisants sur la surface de saphir scintillante emportaient des skippers et des passagers. D'autres destins suivaient ailleurs leur cours – destins de gens libres, dont l'expérience n'a pas encore atteint son terme ultime.

Souvent quelqu'un attendait à côté sur les canapés du Princess Margaret, d'autres femmes, d'autres parents aux visages marqués comme le mien – par le pressentiment, la peur? Souvent le téléviseur était allumé. Mon regard l'évitait toujours. Des centaines d'images sans importance, des mots venus de derrière le rideau de la douleur. Mais ce jour-là… ça s'est passé en un instant, j'ai vu des mains, des mains posées sur de nouvelles têtes, des mains, des têtes. Des mains vivifiantes. Un miracle. Tentons un miracle.

Je connaissais un extrait du film d'Agnieszka Holland sur Julia et le thaumaturge ukrainien qui s'était chargé du traitement de son tout jeune fils. L'amour pour une femme avait ôté à Alexeï son pouvoir de guérison, mais c'est une autre histoire. Ça n'a jamais été « mon » film, mais j'étais maintenant en quête de toute forme de secours.

Ça ne peut pas être pire. Nous n'avons rien à perdre. Seulement, que dira Henryk ? Il est inconscient. Que dirait-il ? Par instants il reprend connaissance. Je me rappelle notre conversation d'avant l'opération. Interrogé pour savoir s'il accepterait n'importe quel traitement non conventionnel, il s'était moqué de moi. De la part d'un adepte de Descartes, je pouvais m'y attendre. *Cela irait contre ma nature, ma vision du monde et ma conception du bon goût. Je ne puis commencer à croire aux mythes pour la seule raison que j'ai un cancer.* Je le savais.

Je ne possède pas ce don qu'est la foi. Je ne trouve aucune consolation dans la religion. Comme bouée de sauvetage, j'ai choisi l'espoir. Je la tiens. J'entretiens les gènes de l'espoir.

Entre les mains de tout être humain, il existe une assez sensible différence de potentiels électriques, atteignant les vingt millivolts. Chez les biothérapeutes ces différences atteignent 50 mV et davantage. Chez Pawel P. cette différence dépasse 150 mV.

Pawel apparut le lendemain. Menu, taciturne, chétif. Longs doigts, grandes mains. On l'appelle le Harris des bords de la Vistule. Il n'a rien promis, il ignorait si H. répondrait, et comment, à son énergie. Nous redoutions une protestation de la part du patient. A tout hasard j'avais dit qu'il s'agissait d'un massage de la tête. Je ne pense pas qu'il l'ait cru. La visite n'a pas duré plus de dix minutes. En silence.

Reconduit à l'ascenseur, Pawel a dit : *H. vivra, il retrouvera l'usage de sa main paralysée. Il se lèvera.* Après le verdict de mort répété par beaucoup, ces paroles semblaient irréelles. Même à moi. Je voulais y croire et n'y parvenais pas.

La plus vieille civilisation du monde connaissait la bioénergothérapie. Des preuves tangibles figurent sur des papyrus égyptiens et des vases grecs. Dans le temple d'Esculape, le prêtre imposait les mains et disait : « Je te guéris ». Et Hippocrate et Pythagore croyaient à l'existence d'énergies secrètes qu'ils appelaient forces guérisseuses de la nature.

Au Moyen Age le traitement par le toucher était une faveur et le privilège des monarques. La guérison de masse par imposition des mains relevait de la fonction royale. Certains souverains recevaient ainsi, les jours de grandes fêtes, plusieurs milliers de personnes. Les rois d'Espagne affectionnaient les malades mentaux, c'est- à-dire les « possédés du diable ». Les rois d'Angleterre guérissaient les épileptiques et les paralytiques et les rois de France les tuberculeux. Parmi les rois de Pologne, seul Jean Casimir le faisait juste après Pâques, au pied de la colline du Wawel. A la fin du XVIIe siècle Louis XIV, le fameux Roi Soleil, tenta de guérir par le toucher presque huit mille malades.

Un siècle plus tard Paris était fasciné par les doctrines excentriques du médecin allemand Franz Anton Mesmer. L'auteur de la conception du magnétisme animal établit que c'est un fluide universel qui est responsable du fonctionnement régulier de l'organisme. Les déficits ou une mauvaise distribution de cette énergie entraînent des maladies. Mesmer pratiquait en imposant les mains ou en les promenant autour du corps du malade. Une commission spéciale convoquée par Louis XVI condamna l'activité du magnétiseur. Ses théories ne furent pas reconnues par l'Académie française des sciences. Je sais que, de nos jours, des médecins ont également des problèmes avec ces théories.

Tout cela a pourtant ouvert lentement la voie aux recherches sur l'énergie qui émane du corps humain… Il était difficile, même aux scientifiques, d'en nier l'existence. Marie Curie s'est intéressée au phénomène d'émission d'étranges rayons par le corps. Elle a pris part, à plusieurs reprises, à des séances avec le fameux médium napolitain Eusapia Paladino, dont les mains émettaient des fluides lumineux.

P. a continué à venir, d'abord à l'hôpital, ensuite à la maison. Il chargeait les batteries énergétiques de H. comme il pouvait. Il semblait avoir une force illimitée. Il n'incitait pas à renoncer aux traitements par irradiation ou à la chimio, il ne contredisait pas les décisions des médecins. Il a accompagné les phases successives de la résurrection et de la perte.

Il nous a soutenus aussi longtemps qu'il l'a pu. Tant que le corps de H. a accepté son énergie. Il a été avec moi du côté de la lumière. Grâce lui en soit rendue.

H. dit qu'il faut commencer plus tôt, bien plus tôt. Pas le 11 mars ni le 26. Plonger plus loin, décrire à quoi ressemblait la vie de gens bien-portants. Notre ancienne vie. Notre relation. Comment le faire, comment le faire sachant ce qui est arrivé ?

Commencer par la vie. Ma vie pendant des années était déployée au-dessus de l'océan. Et entre deux continents. Dans la nostalgie. Sans douleur. J'étais en route. Un jour j'ai écrit que c'était une vie en fuite. On m'a alors demandé ce que je fuyais et si je me fuyais moi-même.

Sans doute avais-je toujours rêvé d'une vie sur la route. Entre. En quête. Une seule adresse, une seule vue par la fenêtre, les tableaux à la même place – cela voulait dire immobilité et manque. Non pas l'ennui, plutôt une impasse. Les hôtels, les haltes temporaires, les appartements d'amis, à Lublin, à Paris, à Jérusalem, à New York me donnaient ce sentiment de liberté et d'excitation qui accompagne la découverte du monde.

C'est aussi ce qu'était notre amour – lointain, inquiet, passionné, plein des péripéties de nos présences réciproques. Des péripéties, justement, car en se voyant tous les deux ou trois mois nous entretenions en nous et pour nous une atmosphère de tension, de nostalgie et de fête. Nos deux fortes personnalités, difficiles, obstinées, encloses dans la cage du lot quotidien menaçaient d'exploser. Pendant des années nous avons maintenu notre relation en état d'effervescence grâce à la distance, aux conversations téléphoniques transatlantiques et aux liaisons aériennes au rythme de balancier entre le Vieux Continent et le Nouveau Monde. Nous sommes tous deux des gens du verbe. Nous savions nous conter notre amour à nous-mêmes et le vouloir assez pour neutraliser la barrière de l'espace et du temps.

Il n'y avait pour nous nulle frontière. Avec le temps, le réseau des courriels et des portables se resserrait. Les appels téléphoniques de Hong Kong me trouvaient à Varsovie sur la tombe de ses parents, à Wolka Weglowa, ceux de Californie à Cracovie, sur la place Wolnica, ceux de Toronto à Paris, près des Halles, partout.

Je savais qu'il ne pouvait en être éternellement ainsi. Je sentais de plus en plus nettement que le temps allait décroissant, qu'il nous fallait être plus proches, plus souvent, plus longtemps. Que nos meilleures années passaient. Que nous perdions non seulement des jours, des semaines, des mois, mais que nous nous perdions nous-mêmes. Que les saisons tourbillonnant comme dans un kaléidoscope ne reviendraient pas sur la même orbite.

J'ai demandé qu'on arrête la roue de la fortune. J'ai demandé du temps commun. Nous ne savions pas nous décider. Je pense qu'il le savait encore moins que moi, mais je ne veux pas être injuste. Il avait davantage d'obligations – personnelles et financières.

Écrire exigeait de longues périodes de calme. L'absence de H. se faisait alors trop douloureuse. J'allais à Konstancin et à Sopot [1] ou bien dans des résidences américaines pour les écrivains. Avec le temps j'obtins une pièce à Toronto, rue Admiral, pour travailler.

---

1. Deux résidences réservées aux écrivains, la première près de Varsovie, la seconde sur la Baltique.

Non loin de là habite la célèbre Margaret Atwood, avec qui l'unissent la passion de la lecture et d'incessantes critiques et remontrances de leurs professeurs de littérature sur leurs rédactions scolaires.

Mais ce n'est pas elle qui lui a donné ce sentiment de familiarité avec la littérature de langue anglaise. C'est chez Portnoy et ensuite chez Peter Tarnopol, le héros du livre suivant de Philip Roth, *Ma vie d'homme*, qu'il se sentait chez lui. Il les considérait comme sa famille, il lui semblait que s'il était né ici et non dans la Pologne d'après-guerre, sa vie aurait pu figurer dans les pages de ces romans.

Tu récitais des passages entiers de Roth. De même, d'ailleurs, que de Tadeusz Konwicki. Je riais en disant qu'ils sont souvent tous les deux au lit avec nous.

Tu sentais un lien avec le monde des Juifs américains, malgré les paysages et les accessoires étrangers, l'absence de l'ombre toute-puissante de l'extermination, l'exotisme des réalités. Tu considérais New York comme la patrie des Juifs laïcs, assimilés. Cette ville te rappelait ta maison, une maison de l'intelligentsia juive libérale avec une tradition de respect du verbe et du débat intellectuel.

Là-bas tu te sentais chez toi. Moi également. Car ce qui fait qu'on est chez soi c'est justement, pour une part, qu'on peut être qui l'on veut.

Pour moi, la maison était un « entre-deux ».

Il y avait deux maisons.

Tous les quelques mois, l'espace de l'avion constituait un temps frontière de métamorphose de l'une en l'autre, de l'autre en l'une.

Je ne regarde pas par la fenêtre. Concentrée, je crois vraiment qu'une transformation magique s'opère dans l'air, dans le ciel. Moi, l'autre, devient celle-ci. J'ignore laquelle est la plus vraie et à quel point, laquelle est plus importante et pour qui, laquelle compte, laquelle crée davantage et est meilleure pour les autres.

Je vais vers lui. Je suis allée vers lui pendant une dizaine d'années. Longtemps avant que nous ne déménagions de l'appartement de la rue Prince Arthur avec son panorama sur Toronto pour la maison d'Admiral Road, à une rue transversale de distance.

D'ordinaire, la carte du monde était pour moi une carte des gens, dans cette ville canadienne sur le lac Ontario, au début, je n'avais guère d'amis. Avec le temps j'ai fait des connaissances, mais c'étaient tous des compagnons de sa vie. Ils formaient quelques cercles plus restreints qui se rejoignaient à certaines occasions. H. était un homme de conquête et moi, c'est lui que je venais voir. Les autres liens, non ancrés dans le quotidien, me semblaient futiles. « Futiles » n'est pas le mot qui convient, peu tangibles, peu profonds, mondains, plus ou moins gentils (un mot que je ne supporte pas). Superficiels ? Affectés ? Je pouvais m'en passer. Peut-être ne faisais-je moi-même aucun effort pour les étendre. Peut-être considérais-je que ce n'était pas la peine d'y investir du temps et des sentiments dès lors que ma place était en Pologne, à Varsovie. Là-bas j'avais parents, amis, lecteurs, étudiants. Là-bas je construisais mon identité au jour le jour. Ici, au Canada, j'étais en vacances de la vie.

Il en fut longtemps ainsi. J'aimais cet état, bien qu'au bout d'un certain temps l'absence de structure professionnelle et d'obligations propres à l'écrivain m'inquiéta.

Au bout de quelques années mes affaires varsoviennes, mes notes, mes idées, des fragments de texte avaient commencé à se nicher d'abord sur le bureau de la chambre avec vue sur la ville, mais avec le temps… Avec le temps…

Tu t'étais installé au-delà de l'océan. Mais nous parlions beaucoup du fardeau de l'exil. Tu considérais que l'exil de l'intelligentsia est une perturbation de presque tous les processus vitaux ordinaires. C'est l'arrachement au milieu du développement naturel, au sol, à la langue et à la culture dans lesquels on a poussé. On perd alors, en quelque sorte, toute attache avec ses assises intellectuelles. A quel point la stabilité émotionnelle te déterminait-elle et avait-elle de l'importance – la présence des parents, des amies d'enfance, des rues familières, des trous, des cachettes et des recoins –, cela n'est pas clair pour moi. Tu avais une théorie sur la décennie perdue à l'étranger, le temps mort qui était le prix de la guérison après le cataclysme psychique (ce sont tes paroles) qu'est l'abandon du passé.

L'émigration, c'est-à-dire le changement de sol, t'avait indubitablement recréé à nouveau. Mais la preuve d'appartenance était restée le verbe polonais, la culture polonaise, le modèle polonais de langage, de style, d'expression, de tradition.

Nous avons beaucoup voyagé ensemble, surtout vers des gens ou sur leurs traces. Mes pistes juives de Singer, mes pistes scientifiques du professeur Hilary Koprowski, passé à côté du Nobel, découvreur du vaccin contre la polio, mes pistes artistiques et littéraires sur les traces de la féministe Irena Krzywicka. Toi aussi, récemment, tu as cherché tes personnages. Lors du dernier voyage en Suisse nous avons retrouvé la villa de Remarque. De l'hôtel de Montreux où avait habité ton Nabokov, tu as emporté un cendrier en argent (tu n'as pas pu te retenir).

Dans chaque situation tu trouvais un contexte littéraire. C'était terriblement attrayant. Tu étudiais en permanence de nouveaux arrangements entre la prose et la réalité, tu les adaptais à ta personne, la lecture était pour toi la confrontation de deux mondes également réels.

Les écrivains te fascinaient, leur œuvre, leur milieu, leurs secrets d'atelier et d'alcôve. Pendant des années tu as maintenu des liens amicaux avec les veuves de Leopold Tyrmand et Jerzy Kosinski. Le premier, tu l'avais connu brièvement, mais tu t'es occupé comme nul autre de ses archives, tu as magnifiquement préparé l'édition de son *Journal 1954*, tu l'as accompagné d'une préface, d'un appareil critique et d'illustrations. Tu avais avec le second une relation plus étroite : du ski ensemble, des dîners, des discussions à Crans et à New York. Tu as également été son traducteur.

Tu aimais les femmes et tu en étais curieux. Tu savais te lier d'amitié avec elles. Avec les veuves littéraires cela te réussissait particulièrement bien. Elles te faisaient les cadeaux les plus étranges, que tu traitais comme des trophées : plâtre du pouce droit de l'auteur de *L'oiseau bariolé*, déjà un peu sali, un putto en bois de Tyrmand rongé par le temps. D'autres encore.

Il m'est difficile d'écrire. Cela a toujours été difficile. A chaque nouvelle tâche, il me semble que la probabilité d'une défaite augmente. Il en a toujours été ainsi, mais maintenant que notre vie avait volé en éclats, je me sentais trahie par les mots. Abandonnée et trompée. Les mots manquaient de force pour dire la peur, exprimer tout ce qui s'était passé. Pendant neuf mois je les ai à peine effleurés. Maintenant, je sais qu'ils doivent me sauver. Je n'ai rien pour me venir en aide. Je ne sais rien. D'où l'injonction d'écrire, l'injonction car sans cela je me sens inutile et vaincue. Henryk a un cancer du cerveau. Jamais je n'ai eu à me débrouiller avec un tel fardeau.

Merci, maman, de m'avoir appris à placer les lettres et les mots.

Tu m'appelais la femme de ta vie. Tu soutenais que si j'avais été serveuse tu m'aurais aimée tout autant, mais je sais que certaines de mes capacités à manier la plume m'ont ajouté de l'éclat à tes yeux.

Tu savais toujours quand j'écrivais et quand ça marchait. Car je me faisais alors plus douce. Une journée sans un bon paragraphe ou, au moins, une bonne phrase, me semblait imméritée. Tu me mobilisais et me chassais vers le bureau. J'ignore si c'était pour ta propre satisfaction ou la mienne. La plus grande expression de ton amour était l'éloge de ce que j'avais écrit. Cela me manque beaucoup aujourd'hui.

Tu m'as enseigné que le plus important dans l'écriture c'est le sens du détail. Tu le répétais souvent et tu récitais le poème de Brodsky où il a cette phrase qui dit que le figurant est plus important sur scène qu'un acteur de premier plan.

Tu voulais que j'écrive. Tu souffrais lorsque je n'y arrivais pas. *Qui es-tu sans cela ?* demandais-tu pendant ta maladie. *Une infirmière ? Je peux en payer une.*

Nous avons aussi beaucoup parlé de ce qui se passe lorsqu'on ne peut plus écrire. Tu te souviens ?

Hemingway s'est tué parce qu'il n'avait plus de mots dans la tête. Je pense – et tu le pensais aussi – que Kosinski s'est donné la mort pour cette même raison. Je me rappelle une conversation avec Philip Roth à ce sujet lors d'une réception à la colonie pour écrivains, à MacDowell. Roth a dit alors : *Il fallait attendre. Ça passe. Il aurait dû attendre. Si j'avais pu le lui dire. Ça passe, l'impuissance, le bâillon, l'immobilité de la plume. Ça passe.*

Je me le répète à moi-même.

Les deux plus grandes tragédies de sa vie, c'est ainsi que H. appelle Mars 68, qui a provoqué son départ de Pologne, et cette maladie. S'il est de bonne humeur, il dit de moi que je suis la récompense pour ces malheurs-là. Il affirme aussi que je suis la seule personne au monde qui comprenne cette douleur. Lorsqu'il le dit, il pleure. Il ne pleurait jamais avant.

Il m'a demandé plusieurs fois si je voyais une différence entre un homme en pleurs et une femme en pleurs. Oui.

Les larmes apportent un soulagement.

Les larmes désinfectent l'âme.

Le grand calme après les larmes est une grâce. Lassitude.

On les porte en soi. Eau, gouttes, larmes. Dispersées comme la pluie, elles fructifient. Elles fertilisent notre destin.

Les animaux aussi pleurent.

On dit des larmes qu'elles sont l'expression du cœur ou de l'âme (je ne suis toujours pas sûre de l'endroit où se niche cette dernière). Ovide écrit qu'elles signifient autant que des paroles. Voltaire les appelle la langue silencieuse de la tristesse. Heine médite sur la poésie enclose dans les larmes.

Le langage des larmes est universel, tout comme le langage de la musique.

Dans les hôpitaux canadiens, il y a des petites boîtes de mouchoirs partout. Il y a aussi du personnel spécialisé pour essuyer les larmes. Les médecins ne se soucient pas de cela. Ils sont durs. C'est ainsi qu'ils ont été formés.

Pendant sa maladie, sur son lit d'hôpital H. pleurait souvent, mais seulement sur la poésie russe. Surtout celle de Simonov. Volume relié toile grise.

Jdi mienia, ia viernous, tolko otchen jdi.

> *Attends-moi encor!*
> *Attends-moi par temps de neige*
> *Et par grandes chaleurs*
> *Lorsque les regrets s'allègent*
> *Dans les autres cœurs,*
> *Quand, des lointaines contrées*
> *Sans lettre longtemps,*
> *Le silence et la durée*
> *Lasseront les gens.*

Un écho d'il y a des mois. La première fois, avant qu'on lui ouvre la tête. Attends-moi. Est-ce que je n'attends pas avec assez de persévérance ?

Ces derniers mois les souvenirs de Mars 68 le font pleurer. *Décris l'histoire de mes larmes,* demande-t-il. *Rappelle-toi : Mars et mon fils aîné, Nick. Rappelle-toi comme ils lui ont pourri la vie à l'école, parce qu'il était mal bâti, lourd, petit, ils le traitaient de nabot parce qu'il ne savait pas taper dans un ballon et qu'il était gauche. J'avais tellement peur qu'ils lui causent un tort irréparable. Avant, je n'avais pleuré qu'à cause de lui.*

Il pense avoir répandu plus de larmes sur Mars 68 cette année qu'au cours des quarante qui l'ont précédée. Il a l'impression que ceux qui ont survécu pleurent justement ainsi, des années après l'Extermination. Mais pourtant ce n'était pas une extermination. On n'a maltraité personne physiquement. On les a exclus de la nation, du pays, de Pologne. Il ne s'attendait pas à ce que cela vive en lui si longtemps.

Il en parlait beaucoup après que nous avons fait connaissance. Il envisageait des livres. Pendant ces mois passés dans les hôpitaux, il n'était plus en contact avec son ancien moi. La maladie et le combat qu'il menait contre elle étaient sa seule substance. Et son seul but. Il n'y voyait pas. Il voyait peu. Jamais je ne saurai jusqu'à quel point la tumeur limitait son champ de vision. Il avait dû se séparer de son téléphone portable, absolument indispensable pendant des années, et de son agenda électronique. Il ne distinguait pas les chiffres des lettres, il avait des difficultés à trouver les bonnes touches. Au tout début, il a envoyé un message à son ami D. Ce devait être : *Dear Daniel.* Cela donnait : *Fear* (peur) *Daniel.* Tout un symbole. Mais ensuite ce fut de pire en pire.

Le premier texte qu'il écrivit pendant l'été qui suivit sa sortie de l'hôpital, quand il commença de nouveau à reconnaître les lettres et à se servir de son ordinateur, avait pour titre *Témoignage* et concernait justement Mars 68. Il y parlait de ceux qui s'étaient alors montrés des gens honnêtes et de ceux qui avaient contribué à son départ.

Où se logent les couches successives de la douleur vécue et qu'est-ce qui les ravive ? Pourquoi une maladie mortelle réveille-t-elle un autre outrage enseveli par le temps ? Comment se décompose le souvenir des mauvaises épreuves ? Comment se fait-il qu'elles renaissent avec une résonance si puissante ?

En 2000, Henryk a acheté une maison dans un quartier de villas, dans une rue bordée de lourdes demeures victoriennes. Au centre même d'une ville peuplée de plusieurs millions d'habitants, nous sommes entrés en possession d'un espace curieux. Au commencement, la plus petite maison de cette belle rue était sombre et recouverte d'un enchevêtrement de vies étrangères qui s'y étaient déposées au cours des années. Les couches successives de cette présence étrangère étaient poisseuses, importunes, elles coupaient l'air et le souffle. Nous décidâmes d'abattre les murs. Notre maison est maintenant la maison de la lumière et des livres. Ouverte sur l'extérieur par de vastes fenêtres et de hauts encadrements de portes, avec un jardin sur le devant et un taillis tchékhovien à l'arrière, elle s'est révélée, avec le temps, comme le plus important des lieux qui nous sont communs.

H. répétait qu'il avait acheté la maison pour moi, afin que j'aie un endroit pour écrire. J'ai apprivoisé les murs et l'étang, les chênes et le mélèze au bord de l'eau. Le bureau et l'antique lit sur lequel j'aime écrire. Il n'y a que les familles nombreuses de ratons laveurs arrivées dans l'arrière-cour qui sont restées indésirables. Mais le professionnel qui les capture, les voisins et les oiseaux en redingotes bariolées sont devenus des amis.

La maison attendait pendant des mois mes visites de quelques semaines. J'y étais l'invitée, à demeure, mais l'invitée. Je regagnais ensuite mon appartement à Varsovie. Pendant des années. Mes deux pièces avec cheminée où nous étions à l'étroit quand H. séjournait en

Pologne. C'est là-bas qu'était toujours et encore mon adresse.

C'est seulement maintenant, presque un an après le pronostic-sentence que nous avons entendu de la bouche du neurochirurgien de Toronto, c'est seulement après des mois de peur et de maladie, après la pluie et le vilain temps, les grandes chaleurs humides et la neige, que je suis tombée amoureuse de cet endroit. Et de ces gens.

Nous étions chacun le seul enfant de nos parents. Cela aussi nous a rapprochés. Notre caractère d'enfant unique, l'isolement, l'habitude de passer le temps avec soi-même et seulement avec soi-même. Solitude spécifique.

Tu aimais les gens, nous les aimions l'un et l'autre, mais la plupart du temps tu étais seul, en général tu lisais et tu écrivais, tu apprenais en permanence. Moi aussi j'ai passé la moitié de ma vie seule devant un bureau. Certes, j'ai passé l'autre moitié au milieu des gens, mais il fallait ménager un équilibre. Autrement, impossible de réfléchir.

Tout a changé avec la maladie. Complètement. Tu ne voulais pas un seul instant de solitude. Finis nos dîners à deux, essentiels. Tu voulais des gens, tu voulais des foules. Lorsqu'il n'y en avait pas suffisamment tu prenais ton téléphone. Ils arrivaient, ils apportaient de quoi manger, ils cuisinaient. Tu faisais livrer du vin, un océan de vin. On ne pouvait en manquer. Tu offrais avec la même générosité que toi-même ton hospitalité.

Cela a duré près de seize mois.

Nous avons bousculé le rythme jusqu'alors immuable des moments de concentration. Il y avait constamment quelqu'un qui passait. Pour le petit déjeuner, le lunch, le goûter, le dîner. Pour bavarder, rendre visite, partir en promenade. Beaucoup de bruit, beaucoup de confusion. Nous avions cessé de fermer la porte de la maison d'Admiral Road. Il me fallait affronter beaucoup trop de marches pour aller l'ouvrir toutes les demi-heures.

Nous avons maintenu l'unité de lieu, d'où la nécessité de provoquer l'action. Tu avais du mal à aller vers le monde, le monde venait donc à toi. Le chaos du quotidien niait la routine de la maladie – des soins, des médicaments, des thérapies. Il semblait que la présence des autres apportait la vie.

Une action ininterrompue, ou bien son apparence, te maintenait dans un relatif équilibre, évacuait la panique, c'est ainsi que j'imagine les choses. Dans la dispersion, le désordre, tu te sentais plus léger.

Pendant des années – je voulais écrire : « D'aussi loin que je me souvienne », mais c'est un mensonge –, pendant des années j'ai vécu avec le sentiment d'être en manque de temps. Dans la peur de la perte. Avec la conscience que quelque chose allait se produire qui me reprendrait ce que j'ai. Mon homme, mes tableaux et mes livres, les photos de ceux que j'ai aimés. J'ai cloué consciencieusement mes cadres aux murs, en nombre d'endroits, sachant qu'à chaque instant je pouvais tout perdre. J'ignore d'où cela m'est venu. Personne ne me l'a jamais dit ni appris. C'est ainsi. Je sais qu'il me faut être prête à tout abandonner, à en être privée, à l'incendie. Au désastre. Je reconstruis sur les ruines. C'était un code cousu profond quelque part sous la peau. Une certitude. D'où venait-elle ?

Je ne me sentais pas victime. Je savais qu'il n'est pas permis de se rendre. Nouveau combat et combat suivant. Rien de stable. Il ne m'est permis de m'attacher à personne ni à rien. Certainement à rien, choses, objets, lieux. La folie par amour était autorisée. A condition que je connaisse le prix de la perte. En tout cas il me semblait le connaître. Les exercices de la perte m'ont tenu constamment compagnie.

Qu'est-ce qui m'a permis de m'établir plus fermement au Canada ? Il y a ici un homme avec qui je me suis liée, mais je découvre également un espace pour les mots. Je peux écrire. Laborieusement et à grand-peine, comme partout ailleurs. J'écris.

Au-delà de l'océan, sur un autre continent, jamais je ne me suis sentie étrangère. Plutôt libre. Libérée ou délivrée

(?) des limites de mon propre milieu et de ma ville. Vues à cette distance, au-delà de l'océan, elles ont pris des proportions convenables.

Ici nul n'est étranger. Je suis une étrangère d'ici. Dans un tissu social tellement varié, différent, riche, mais tellement anonyme aussi, et par là même n'exigeant nulle participation.

A New York, pendant des années, dans les chambres louées, avec les cafards et les meubles des autres, je me suis sentie heureuse. Destin provisoire, bonheur provisoire. J'avais des idées et des projets. La ville m'électrisait et me donnait un sentiment de force. J'avais conscience de l'irréalité de pareille situation mais quelque part, au plus profond de moi, cela m'était nécessaire. Je ne me sentais pas encore prête pour une vie sédentaire.

Avec le temps, Toronto toute proche est devenue un abri. Un jardin – l'ombre derrière laquelle j'assemblais les mots. Il était parfois bon de se reposer des défis continuels, de se plonger dans un autre soi-même, tranquille, recueilli.

Vivre sur deux continents – qu'est-ce que cela signifie? Quelle vie est effective, laquelle est la vraie? Laquelle se passe réellement? A laquelle participons-nous? Laquelle nous construit? Et si c'est l'une et l'autre, comment est-ce possible, comment s'opère l'osmose? Comment s'entremêlent-elles et avec quoi? Deux jeux de bureaux et de lampes, de vêtements d'hiver et d'été, de gobelets pour le café et d'assiettes. Double de lits, double de vases à fleurs, double de casiers à bouteilles. A moi depuis quand? Depuis quand ai-je cessé d'être une invitée dans sa maison ? Depuis quand ai-je psychologiquement apprivoisé son espace ?

Une maison devient une maison par les gens qui la construisent ensemble. Par la présence, les discussions, par les repas en commun. Il faut nourrir les invités. Je ne cuisine pas, mais tout au long de ces mois nous avons appris les rituels culinaires (je Vous remercie, Tous). Danka, sioniste incorrigible, découverte par H. sur l'« îlot » internet de Mars 68 et adoptée, a été nommée responsable en chef de la cuisine. Élue d'instinct, elle ne pouvait refuser. Elle voulait être à la hauteur de la tâche pour ne pas le décevoir – elle a dû apprendre à cuisiner. Sa poitrine de veau, ses langues de bœuf, ses rognons, H. s'en souvenait comme de l'incarnation de la maison et de la Pologne. Je lui en suis éternellement reconnaissante. J'ai apprivoisé cette maison par la cuisine, par nos dîners entre amis, en polonais, en anglais, en russe, avec des poèmes en hors-d'œuvre et au dessert.

La maison est mienne par l'étang et les fleurs du jardin, mais seulement lorsque je les arrose moi-même et que je sarcle, lorsque je change la valve du tuyau d'arrosage et que je nettoie le fond de l'étang. Quand, après l'hiver, j'étrille pour la première fois le mélèze avec tendresse et, ensuite, tout au long de l'été, quand j'arrache les mauvaises herbes car elles envahissent les fleurs bleues dans la plate-bande de la façade (il faut encore apprendre à connaître leurs habitudes et leur nom anglais). J'apprends l'inquiétude pour la survie de l'érable rouge, je ratisse les feuilles et les glands. La maison, alors, se laisse apprivoiser. Elle est mienne.

Exercices de la perte

Vous n'êtes pas seule, m'écrivent des étudiants. Je croise les doigts et j'attends. *Tout le groupe attend.* Les étudiants. *Vous serez toujours notre inspiration.*

Ils sont une réalité du monde que, pour le moment, j'ai abandonnée. Avec regret, mais sans hésitation. H. est le plus important.

Dans la vie bien-portante, écrit Jan Kott dans un essai sur sa maladie, *le temps est continu, comme au-dehors, mesurable à la montre, sur le calendrier, pas en nous-mêmes. Le temps passé, c'est hier, le temps futur, c'est demain, mais hier et demain sont dans la trame de ce même temps. L'infarctus est une coupure dans le temps, le temps entre-coupé. La continuité du temps et ses conséquences se trouvent bouleversées ou même totalement détruites.*

« Entre-couper » le temps – arracher la vie à sa forme habituelle, nous place devant l'inconnu : fin du chemin familier, sables mouvants, autre terrain, étape et réflexion. Et tout ce qui est l'ultime d'« avant » – rencontres, paysages, gens – établit de nouveaux sens. Kott appelle ces rapports des affinités de hasard.

Infarctus, diagnostic, comme l'ombre de la mort, confèrent des significations symboliques aux événements d'« avant ». Dernière conversation avec L., confidence de D., lecture de pages de *La clef des songes contemporains* [1], un film avec Nicholson, un bifteck-frites. Pour Kott, une représentation d'*Hamlet* a été l'ultime représentation, et une promenade sur les *Planty*, les boulevards de ceinture de Cracovie. Et si elles se renouvellent elles se produiront pour la première fois. Après.

Ainsi le hasard devient-il le destin.

Mais nous rencontrons maintenant notre propre destin comme s'il était celui d'un autre. Nous nous mesurons à lui comme à un adversaire. Comme à un ennemi mortel. La métaphore est littérale. La mort est cet ennemi.

1. Une œuvre de Tadeusz Konwici.

Exercices de la perte

Une mort digne – je l'aurais choisie pour toi, avait dit H. Clore avec classe le business terrestre.

Cette nuit, en rêve, j'ai planté des roses.

Atteint d'un cancer, le héros du film canadien *Les invasions barbares* de Denys Arcand veut mourir. Une jeune droguée le console et le comprend. Elle lui injecte de la morphine dans un geste salvateur, lui expliquant que la nostalgie qu'il entretient pour sa vie passée ne sera jamais apaisée. Il n'y a pas de vie passée. L'homme que tu as été n'est plus. Et ne sera plus jamais.

Dès lors qu'on est assuré de cela et qu'on souffre, il est facile de s'en aller. C'est ce que je pense. Je ne peux pas savoir. La maladie n'humilie pas H. par la douleur.

La perspective d'aujourd'hui modifie le passé, lui confère un goût amer qu'il n'avait pas avant. Un printemps marqué par le désespoir et la peur. Panique. Survivre signifiait alors victoire. J'ignorais le prix de la survie. Comment écrire honnêtement sur ce sujet ? Comment réfléchir ?

10 juin 2005

A ma mère :

Jamais personne ne m'avait dit que l'homme que j'aime est mortellement malade. Jamais auparavant je n'avais appris que la personne sur qui reposait tout mon univers allait mourir en quelques semaines. Jamais je n'avais vu H. si faible et inconscient. Jamais personne de ceux que j'ai aimés n'avait cessé de respirer entre mes bras. Jamais on ne m'avait demandé ce qu'il fallait faire, s'il fallait poursuivre le traitement et dans quel hospice envoyer mon mari. Jamais je n'avais eu pareil mari. Et il est si malade et tellement épuisé, il supporte cela si courageusement, comprend si bien. Je pleure en y songeant. Et je ne peux plus écrire. Il est comme un enfant dont on ne peut s'éloigner d'un pas. Oh, justement, le voilà qui m'appelle à l'instant de l'autre bout du couloir.

Je t'embrasse. Aide-moi en croyant vraiment que nous allons survivre. Ne serait-ce qu'un peu encore. Crois avec moi, avec nous, au miracle !

Tout est comme avant et rien n'est comme avant. Tes livres caressent mes mains. Tes mains sont rivées aux draps par la perfusion.

D'où nous vient la nécessité de transformer les épreuves en leçons ? Pourquoi la vie s'efforce-t-elle d'être une école ? Doit-il effectivement résulter quelque chose de bon de la souffrance ? Nous lui donnons force de loi en cherchant des signes. Nous nous efforçons à tout prix de comprendre le mal, de lui trouver une once de sens. Je m'obstine. Transformer le désespoir en bien, la crise en leçon secourable. Quelle leçon dois-je tirer de la cruauté avec laquelle ont été détruites la vie et la santé de H. ? Je ne consens pas au happy end. Il n'y en a pas. Il n'y en a pas.

La souffrance devient la quintessence de la nouvelle personnalité du patient atteint d'une tumeur. Cette souffrance que H. appelle la douleur de l'âme le façonne, le métamorphose, l'envahit tout entier. Il n'en parle pas. J'observe avec chagrin la dignité avec laquelle il porte le fardeau de la maladie, comment l'accable cette responsabilité spécifique, avec quelle vaillance il a fait face aux attentes d'un engagement dans le combat.

Ceux qui « savent » disent de cette identité qu'elle est maudite. Parce que corrompue, parce que dénaturée par la douleur, la pourriture, la décomposition. Il y a en elle de l'espoir, il y a l'incertitude et la peur. Même ceux qui en réchappent – momentanément, partiellement, provisoirement – ne sont pas en état de se débarrasser des stigmates du cancer.

Tu es un bel homme. Brun, hâlé, vif, rapide. Cheveux épais, drus, yeux intelligents et perçants, gris-vert acier, changeants, constamment en mouvement, ton esprit n'est jamais en repos. Tu ouvres ton univers et tu m'engloutis. Tu es beau.

On ne pouvait imaginer comment tu changerais. Je ne suis pas prête au changement. Je le suis. Il me faut l'être. En cette affaire je n'ai ni expérience ni imagination. La veille de l'opération nous sommes allés chez le coiffeur. Il t'a coupé les cheveux court, comme je n'aime pas. Furtivement, j'ai caché des cheveux dans mon sac. Je les ai toujours. Et déjà tu es différent.

Sur la photo d'hier, pour la dernière fois tu me rappelles mon H., celui qui m'a séduite et aimée, celui avec qui j'ai passé des années. J'aime ta chevelure épaisse, abondante, d'acier. J'aime y plonger mes doigts, l'ébouriffer.

Le matin avant l'opération, les cheveux coupés, en chemise bleue de l'hôpital, tu es paré pour le combat. Des heures plus tard, au service de soins intensifs, tu as le visage enflé, un grand turban blanc sur la tête, et tu hurles de douleur.

Lorsqu'ils t'ont ôté les bandages, une grande cicatrice est apparue, comme une faucille ceignant la partie droite de la tête, une balafre ronde en cercle presque complet. Des points de suture, des dizaines de points de suture. Un lambeau de peau qu'ils avaient dû enlever de la tête pour accéder à l'intérieur. La conséquence, c'étaient des traces bleues, les yeux pochés. Des couleurs nouvelles : prune, jaunâtre, noir.

Ton visage, plus précieux que jamais, sur l'oreiller dans notre chambre en avril. Silence. Nous seuls, ensemble. L'arc est profond. Un arc dans le ciel. *Arc-en-ciel*[1].

Ils t'ont demandé de manger, ils t'ont demandé de manger beaucoup, les corticoïdes te donnaient de l'appétit et en outre tu attendais la chimio.

Ensuite tu as maigri. Tu as maigri et perdu des forces, cloué au lit. Les draps puisaient ta force, ton sang, tes couleurs. Tes yeux perdaient de leur éclat, tes cheveux ont commencé à rester sur l'oreiller après la première attaque des rayons. De plus en plus. De moins en moins sur ta tête. Je caressais ces cheveux, ils me restaient dans la main, je les pleurais. J'ai trop pleuré. Il fait sombre sur l'oreiller.

Tu ne le voyais pas. Tu ne le remarquais pas. Tu comprenais parfois ce qui se passait. Le plus souvent, non.

Lorsque tu as maigri jusqu'à devenir une ombre, tu t'es mis à enfler. A prendre des kilos. Avec les remèdes ton corps a commencé à changer. Jusqu'alors, esthètes primitifs, nous n'y avions pas prêté attention. Toi tu ne le voyais pas, moi j'essayais. Les corticoïdes arrondissent le visage, les jambes retiennent l'eau. Elle s'infiltre partout.

Comment décrire tes photographies ?

1. En français dans le texte.

Je ne suis pas malade du visage, répétais-tu après Slonimski, un poète connu, chaque fois que quelqu'un te disait que tu avais bonne mine.

12 juin 2005

Ce sont des photos importantes, m'écrit Arthur, mon ami bouddhiste, *exceptionnelles à tous égards, des photos symboles. Des photos auxquelles je reviens constamment. J'observe attentivement ton visage où tes lèvres dociles tentent de composer un sourire, j'observe son visage, ses lèvres dissimulant la peur, tout de même. Mais c'est un visage puissant, le visage d'un homme fort, décidé à tout, qui aspire à rester auprès de la femme qu'il aime. Et cela devrait réussir, si la vie se mesure à l'appétit de vivre.*

Ainsi, je pense qu'avec Une histoire familiale de la peur *tu as ouvert la porte de la connaissance de soi, tu as posé là nombre de questions, tu as ouvert les plaies les plus importantes et tu fais maintenant, encore et encore, connaissance avec toi-même, la connaissance des autres, de la vie. Peut-être cette exploration douloureuse restera-t-elle le plus beau chapitre de ta vie. Combien as-tu déjà appris de l'amour ? Moi, pas grand-chose. Nous autres – bercés par l'illusion que tout va bien quand tout va simplement –, nous ne savons pas grand-chose de l'amour. Toi tu as tous les jours des travaux dirigés sur l'amour, sans cours, sans séminaires, sans conférences, tu apprends le maximum, de la manière la plus forte, la plus intense.*

15 juin

Cher A.,

Merci pour toutes ces lettres et toutes ces paroles. Je sais, je sens que tu es avec moi et cela aide. Notre destin hospitalier dure depuis près de trois mois. Première opération, puis une autre, cycle de rayons qui se sont presque terminés tragiquement, ensuite retour à la stabilité et maintenant série de chimios. Nous existons encore, nous ne nous sommes pas encore rendus, nous croyons encore que nous en réchapperons. Pour quelque temps, pour un instant, un clin d'œil.

Je ne sais plus ni écrire ni lire. Je suis auprès de lui tout le temps. Quand il dort, quand il mange, quand il rit. Quand il a cessé de respirer et qu'il respire de nouveau, qu'il vomit, qu'il se repose, qu'il plaisante. Ma vie est devenue si dramatiquement et si radicalement différente de celle que j'ai connue, que nous avons connue ensemble, que je ne parviens pas à imaginer ce qu'elle a été. Cet autre moi-même.

Écris-moi, bien que je ne réponde pas. Écris, cela me donne le sentiment que je n'ai pas encore totalement disparu de là-bas, de cet autre continent qui fut le mien. On a installé un ordinateur au dix-septième étage du vaste hôpital oncologique où nous sommes depuis presque trois semaines. H. dort après sa deuxième chimio, c'est pourquoi je peux écrire. Je devrais dormir aussi, je n'arrive pas à me reposer la nuit. Je prends des poignées de cachets bleus et je ne dors pas.

Vaillante ? Je ne puis être autrement. Je lui suis nécessaire. Je dois le sauver.

Paliative Patient, patient en soins palliatifs – du latin *pallium,* qui signifie « manteau », et *palliativus.* Autrement dit : patient condamné. Assistance palliative signifie assistance active et totale pour des personnes souffrant de maladies évolutives, chroniques, au pronostic défavorable.

Dans ce pays, cela signifie que le patient ne survivra pas trois mois. Je l'ignorais. Je ne voulais pas le savoir explicitement. Et lorsqu'on a appelé H. ainsi, il m'était plus facile de ne pas comprendre que d'affronter un verdict sans appel. Je n'ai pas cru qu'il ne lui restait qu'une dizaine de semaines. Jamais je n'ai pris note de cela. Quand lui-même demandait ce que cela signifiait, je répondais que je ne le savais pas.

« Hospice », cela désignait jadis des lieux veillant au soin des voyageurs. On peut trouver les premières mentions des hospices pour les pauvres dans les décisions du concile de Nicée, en 325. Les *hospes,* c'est-à-dire les hôtes, ceux qui sont dans le besoin, y trouvaient refuge. Un réseau fameux d'hospices prit naissance tout au long de l'itinéraire des pèlerins chrétiens partant pour la Terre sainte.

L'hospice en tant que lieu d'assistance aux mourants est un concept relativement nouveau. Le premier centre de ce genre a été fondé par l'Anglaise Cecily Saunders en 1967. Cette idée est née de ses conversations avec un aviateur polonais, malade incurable, dont elle s'était occupée après la guerre, à Londres. Cette infirmière cultivée acheva des études de médecine afin d'accompagner les patients dans les derniers accords d'une vie.

Je suis allée voir des hospices. C'était un conseil des médecins. Confier H. à une institution car je ne m'en sortirais pas. J'y suis allée, j'ai regardé, j'ai visité. Limites du perceptible, limites du réel. Des limites, une réalité qui ne nous concernent pas, pas nous, malgré l'évidence de la maladie mortelle.

Dans l'air, la mort. Là-bas, tu ne survivrais pas une semaine. Nous serons à la maison. Pourquoi donc avons-nous une maison ? Une maison pour vivre. Une maison pour mourir. C'était ainsi autrefois, c'est également ainsi que ça devrait être maintenant.

18 juin 2005

Nous avons casé le lit d'hôpital dans ton bureau. En bas. Pour la chambre il faudrait monter l'escalier qui conduit à l'étage. Les escaliers ne te sont plus accessibles. Mais d'ici tu as la vue sur le jardin. Je ne suis pas sûre que ton regard porte jusqu'à la clôture, là où les familles de ratons laveurs s'introduisent chaque été et où se trouve le squelette d'une chevrolet rouge de l'époque des dadaïstes. Dans cet espace, tu as de la verdure et tes livres. Tu ne lis pas encore. Tu récites Simonov. Tu pleures. Nous apprenons le mode d'emploi du quotidien. Aussi compliqué que le mécanisme électrique de ton lit. Juin de canicule.

Après des semaines d'immobilité en position allongée, ton corps a commencé à vivre. J'ai remarqué cela pour la première fois lorsque j'ai arrangé les draps et les oreillers et que je t'ai fait glisser vers le haut du lit. Tu t'es déplacé seul. Illusion ? Tu as commencé à m'aider. Le fardeau jusqu'alors inerte s'est fait plus léger. Je n'ai rien dit. Ensuite nous nous sommes tournés sur le côté et j'ai remarqué quelque chose de semblable. Quelques jours plus tard, tes bras et tes mains ont commencé à répondre. Tu revenais.

Je ne sais plus comment, un jour, je t'ai fait asseoir sur le lit. Pourquoi ce jour-là, et d'où m'est venue cette idée ? Tu as rabattu tes jambes. Tu les as agitées. Maigres et blanches. Elles ne touchaient pas le sol – la machine sur laquelle tu passes tes journées est comme une nacelle de belle apparence. C'est ainsi qu'on agitait les jambes, dans notre enfance, sur le portique pour battre les tapis. Maintenant aussi il y avait là quelque chose d'un jeu.

Tu pourrais te lever ? Tenir debout. Tu plaisantes ?
Comment voit-on le monde après cinq semaines en positon horizontale ? C'est inconfortable. La tête tourne. Pause. Repos. Verticale. Depuis combien de temps n'as-tu pas tenu à la verticale ? J'ai tendu les bras vers toi, telle la mère vers l'enfant qui apprend à marcher. *Viens vers moi. Lève-toi, marche. Un pas, deux pas.* Au bout de la pièce et retour.

La vie a commencé.

Écrire sur ce qui est le plus important. Le plus important c'est la maladie. Le temps avec la mort pour horizon. J'ignore à quel point elle est proche. La mort, c'est-à-dire l'inexistence, aucune illusion, aucun champ d'azur, pas de conventicules célestes, d'aube ni de déclin du silence, de saisons du crépuscule. Rien.

Rien. La nuit. Est-ce si proche ? A quel point l'une est-elle imprégnée de l'autre ?

Les nuits sans sommeil ruinent banalement le jour. Ruinent l'espoir. Plusieurs fois réveillée je ne rêve que d'une chose : m'allonger de nouveau. Mais pourtant je suis en service. Essentielle. Si faible qu'il me faut dormir ? Dormir, me reposer, ne pas penser. Effacer un instant, à la gomme, le chaos de mes pensées. Anesthésier le désespoir.

Le psychiatre dit que même la meilleure infirmière travaille douze heures au plus dans la journée. Le reste du temps elle se repose. Elle se prépare au combat pour les douze autres heures. Elle régénère ses forces.

Anatol Broyard, critique littéraire connu du *New York Times*, était le prototype du personnage de Coleman Silk dans l'un de nos livres préférés de Philip Roth, *La tache*. Né à La Nouvelle-Orléans, de deux parents noirs, il a grandi dans un quartier ouvrier de gens de couleur. Il avait la peau claire et ne voulait pas être un *American Negro*. Avec le temps, quelqu'un a découvert qu'il avait découpé lui-même, au rasoir, cette information dans les notes biographiques qui figuraient sous ses premiers articles.

Il avait déshérité le passé en lui, il s'était coupé de sa famille et de ses amis, du monde auquel il ne voulait pas appartenir, il avait opéré le choix conscient de sa propre identité. Il avait bâti son destin sur la négation.

Il connaissait la force de l'idéal et du libre choix. La maladie, seule, l'en avait privé. Pas sur-le-champ. Les notes de Broyard – *Intoxicated by my illness* (« Intoxiqué par ma maladie ») – ont été publiées après sa mort d'un cancer de la prostate à l'automne 1990.

Pendant des années il a lu et parlé des livres en professionnel, pour beaucoup il était un guide dans le monde de la littérature. Lorsqu'il est tombé malade il a cherché dans le médecin un maître qui lui ressemblerait, qui le guiderait à travers les cercles successifs de la maladie – la peur, la solitude, l'humiliation.

La première réaction de Broyard face au diagnostic a été un réflexe d'écrivain. Subjuguer par des notes. Les médecins ont parfois conseillé une saignée pour faire baisser la tension. Décrire ce qui se passe c'est comme détourner la catastrophe. La narration la contrôle, ou en donne au moins l'illusion. Apprivoise la maladie, en fait passer le fardeau sur ses épaules.

Avoir une tumeur c'est comme déménager d'une vieille maison du temps de Dickens, confortable, avec meubles anciens, sofas et cheminée, pour un espace moderne de verre, de béton et de lumière fluorescente. Leurs machines médicales, les instruments du diagnostic vous transportent dans un décor de science-fiction ou d'horreur.

Il s'est servi de la panique pour composer un récit. Comme si cela avait le pouvoir de démanteler le cancer.

Il voulait aussi se battre, lutter. Comme Henryk. Pas question de se soumettre à la maladie, de se permettre une reddition. Il faut l'ignorer. Se raser chaque matin, comme avant, prendre une douche, s'habiller, se mettre au travail. Aucune pitié pour soi-même. Face à la menace, la soif de vivre le submergeait. Et cette soif semblait être en soi une sorte d'immortalité. C'était un remède.

Lorsqu'une amélioration succédait, pour un moment, à une crise, il se rendait compte à quel point c'était là un sentiment étrange – être tout simplement en état de fonctionner. Se réveiller, sortir du lit, aller aux toilettes, faire ses besoins, s'asseoir, avaler, manger, apprécier les saveurs. Respirer.

Sartre avait raison : il faut vivre chaque instant comme si la mort nous attendait dans l'instant qui suit.

En même temps, Broyard voyait quelque chose de romantique dans cette situation menaçante. D'exister dans l'espace d'après le diagnostic, dans cette zone entre la vie et la mort, lui procurait une sorte de liberté. Comme s'il pouvait tout à coup se permettre davantage que jusqu'alors, comme s'il avait obtenu le droit à une folle existence, à l'expression de sentiments et de points de vue qu'il convenait jusqu'alors de refréner. Comme si en présence de la fin prochaine on pouvait y aller à fond.

Ma lectrice de Nysa est pédiatre. Elle m'a raconté l'histoire de sa fillette aveugle. Elle l'a appelée « la petite Juive », étrangère dans le monde des voyants et des valides. *Autrefois,* m'a-t-elle confié, *il me semblait que le monde était le même pour tous, comme le paradis avec ses manèges – pour les maigres et les gros, les estropiés et les bien-portants, les Blancs et les Noirs. Le même. Je me trompais.*

Elle me racontait son travail, son impuissance face au désespoir des mères d'enfants mourants.

Un jour que j'étais de service j'ai pleuré avec la maman du petit Pawel, m'écrit-elle, *et, absolument impuissante et désespérée, je lui ai dit que ce qu'elle pouvait faire pour son jeune fils c'était de l'aimer, de l'aimer, et que Pawel s'en irait lorsqu'il aurait reçu tout l'amour pour lequel il était venu au monde. Et j'ai dit encore que quelqu'un doit vivre parfois jusqu'à quatre-vingts ans ou davantage, ou davantage encore, pour recevoir tout son amour.*

Deadline – le malade obtient un délai, se voit fixer une limite infranchissable dans le temps. Il est curieux qu'utilisé dans divers contextes ce mot implique en soi la mort. *Dead-line* : ligne de mort. Limite au-delà de laquelle on peut ouvrir le feu sur un détenu en fuite.

26 juin 2005

J'en viens à prendre peur car c'est chaque jour de mieux en mieux. Comme si le mal s'était détourné un instant. Peut-être est-ce là le résultat de la chimio, peut-être un miracle, peut-être l'amour ou la prière, je ne sais. Je sais que H. vit, mange, écoute, comprend, parle, qu'il est intelligent et aimé comme avant. Il bouge encore peu mais je crois vraiment, comme je l'ai cru avant, même lorsqu'il se mourait, qu'une amélioration se produit. La voilà.

Mais à part cela, été de canicule, beaucoup de travail pour s'organiser : nourriture, ménage et autres activités banales. La meilleure d'entre elles – le jardin. Le 1er juillet, pour l'anniversaire de H., nous prévoyons un grand banquet. A nos côtés, constamment, le mur des amis. Grande force.

Dans l'invitation nous écrivons : *Malgré nos craintes et en dépit des prévisions, je célébrerai mon 58e anniversaire…*

1er juillet

Tu as tenu sur tes jambes. Tu as tenu. Comme le héros d'un des livres de ton enfance communiste, *Un homme véritable,* de Boris Polevoï.

Une semaine plus tard, on t'a vu pour la première fois à l'hôpital en position verticale. Tu marchais, tu te levais, tu t'asseyais, tu te servais de ta main gauche jusqu'alors presque inerte, et tout cela seul, par tes seules forces. On t'a prescrit un second cycle de chimio.

J'ai alors signé : « Agata – celle du miracle. »

Les nausées – tu riais. *Après les gueules de bois carabinées avec mes collègues, les nausées d'après la chimio sont comme des chatouilles.*

Madame Jadzia est arrivée chez nous juste après l'opération, comme si elle arrivait tout droit de Pologne, de l'ancien pays de H. Peut-être est-elle pour lui la cousine de Wala, sa nounou d'enfance, c'est pourquoi il supporte sa tutelle avec tant de douceur.

Madame Jadzia est originaire de la région de Petite-Pologne, de Jaworzno, une ville dont la place du Marché est triangulaire. Accoutumée au travail depuis l'enfance. Elle a observé son père, il était maçon, c'est pourquoi elle sait comment monter les briques, étaler les enduits, préparer le mortier. Elle voulait être coiffeuse mais sa mère s'y est opposée. Elle a donc fini une école hôtelière avec pour spécialité la pâtisserie. Elle est venue au Canada parce qu'elle estimait que ce serait moins pénible ici.

Madame Jadzia parle aux carottes, apprivoise les angles, balaie la tristesse. Elle coud des châles avec les toiles d'araignée. Elle est capable de remédier à tout, elle connaît les secrets des taches, des jambes enflées, de la mauvaise énergie. Elle presse le jus du chou, émince le gingembre en pétales de rose, habille les tartes comme des mariées. Elle sait désenvoûter les miroirs et rallumer les ampoules. Elle lave, blanchit, nettoie. La literie, les rideaux, les consciences. Sous sa férule les écureuils s'amadouent et les orchidées ressuscitent. Elle ensorcelle l'ordinaire, exorcise le quotidien. Sa présence rétablit l'ordre des choses.

Explosion. Tout au long de l'été nous avons exhumé l'espoir perdu. Beaucoup de vin qui apaise, a apaisé et apaisera la douleur.

Depuis qu'il peut se lever et s'asseoir devant l'ordinateur, depuis qu'il voit de nouveau, H. écrit son autobiographie, réalise un rêve qui a attendu des années. Nous sommes en juillet.

Il écrit vite, comme s'il se précipitait, comme s'il voulait confiner le destin en quelques paragraphes. Et encore, encore. Euphorique. En état de choc. Vers l'étape suivante. Je ne le reconnais pas dans cette façon d'écrire. Je le reconnais dans les courriels qu'il m'écrivait avant l'opération. Avant que le scalpel du chirurgien de Toronto n'entame son cerveau.

24 juillet 2005, c'est-à-dire : dix-septième jour du mois de Tammouz 5765.

Synagogue Holly Blossom, rue Bathurst – dans cette partie nord de la ville c'est une rue juive.

La promise. Moi comme promise. Quelque part au fond de moi j'ai rêvé d'un mariage en blanc sous le dais. H. en avait toujours ri. Cette fois il n'a pu refuser. *Elle m'a sauvé la vie, comment puis-je lui refuser le mariage ? Qu'importe la cérémonie, je suis d'accord pour tout.* Beau mariage. Je m'en souviens comme à travers le brouillard. Comme si ce n'était pas dans ma vie. J'ignore ce qui a suscité ce petit rayon d'irréalité. Comment me suis-je retrouvée là-bas ? La longue robe blanche de la fille de notre voisine était pendue dans l'armoire. Je ne l'avais même pas essayée. Avec Ana j'avais choisi de fragiles fleurs printanières roses pour le bouquet, quelqu'un m'avait coiffée, quelqu'un m'avait maquillée. Je regardais cette jeune femme comme une étrangère.

« Une vraie robe de mariée, comme il faut », aurait dit ma grand-mère polonaise de Lodz, celle qui veillait sur l'hostie, le sapin de Noël et les trains à la gare de Lodz-Kaliska. « Ma petite-fille », aurait-elle dit, bien qu'elle ne m'eût pas connue en mon âge adulte, mais c'était sa bague que j'avais au doigt. Serrée à la taille, évasée en bas, bras nus. « Jolie, ma petite », aurait dit maman. Et papa aurait approuvé. Ils me manquaient.

La fatigue et la peur couvertes par une nouvelle couche de poudre, les yeux las d'avoir pleuré, élargis par les ombres. Un cognac pour détendre l'âme. Lacer la robe avec l'aide des amies. Nous avons commandé un orchestre klezmer et un petit festin. Nous avons décoré la maison et le jardin. J'avais une jarretière bleue comme l'exige la tradition et des perles d'emprunt. Un ami de H., Daniel, m'a conduite sous la *houppah*, c'est Ewa qui accompagnait Henryk. Eux les premiers. Moi ensuite. En robe blanche jusqu'à terre. Dans la tension du silence, dans l'étonnement du miracle.

Nous avancions sur nos propres jambes. Il n'y a pas eu de larmes. C'était la cérémonie du retour à la vie.

J'ai reçu le prénom de ma défunte grand-mère – Sura Ruchla, Salomea Rachel –, la mère de ma mère qui n'a pas survécu à la guerre. Elle a connu le goût du ghetto et des déportations, elle a perdu sa mère, sa grand-mère, ses sœurs et sa famille. Comment se fait-il qu'elle soit avec nous pendant cette cérémonie nuptiale de juillet ? Elle est en moi, je suis en elle ? Héroïque dans le combat, seule, sans son mari qui a passé la guerre dans un oflag, sans soutien, sans assistance, elle a sauvé son enfant. La fillette a grandi et est devenue ma maman. Elle n'est pas au mariage. A cause des visas, des frontières, de la surprise. Ce fut un beau mariage. Le rabbin a parlé de dignité et de courage. De bâtir malgré les contrariétés. De l'amour et de l'amitié sans lesquels nous perdons ce qui importe en nous.

Voici que tu m'es consacrée conformément aux lois de Moïse et d'Israël. La *houppah*, c'est-à-dire le dais sous lequel nous nous tenons, symbolise la maison nouvelle que nous devons créer ensemble. Nous l'avons créée. Nous persévérerons.

Nous avons bu le vin à la même coupe. Que nous avons brisée ensuite sous la botte ferme du Jeune Marié, comme un rappel de la destruction du Temple de Jérusalem. *Mazel Tov !* m'avez-vous crié, ce qui signifie « bonne étoile » en hébreu.

Nous avons signé devant témoins la *ketubah*, le contrat de mariage obligeant l'homme à protéger l'épouse. Dans le judaïsme, c'est une garantie spécifique pour la femme. Je n'ai pas senti l'ironie de ce geste.

Nous prions, ont écrit les amis, ceux qui ne savent pas prier aussi, *nous prions pour la santé, l'espoir, la persévérance et la force. Le miracle a eu lieu.*

J'ai dansé dans notre jardin. La première danse, nous l'avons exécutée ensemble.

H. a lancé à la cantonade : *Je danse, je danse ! Regarde, voyez, je danse. Je mourais et maintenant je danse !*

Et moi j'ai continué de danser à corps perdu. Je dansais pour faire danser le désespoir, attiser l'espoir, garder en mémoire ce crépuscule, les klezmer, les amis, la chaleur et la sécurité de leur présence. Garder en mémoire. Avoir.

Ashley – un magasin de porcelaine, un magasin pour les jeunes couples. Ustensiles pour ceux qui se bâtissent une destinée commune. Je voulais tellement être la jeune mariée, une fois encore, avoir encore le temps, montrer encore à la mort que l'insouciance m'est familière. Liste des cadeaux. Je choisirai des assiettes et des plats, des tasses et des verres, des couverts. Tout ce qui peut servir dans notre maison. Notre maison ? Combien de temps encore tiendra-t-elle ? Combien de petits déjeuners et de déjeuners prendrons-nous dans la nouvelle vaisselle ? Pourquoi est-ce que je fais cela ? Combien de temps encore durera notre tête-à-tête à table ?

Porcelaine blanche. Pour le petit déjeuner, il y aura des motifs avec citrons et groseilles, plateau Alessi, verres. Chaque soir nous recevons des foules d'invités. H. l'exige. Il se hisse encore dans l'escalier jusqu'à la salle à manger et au salon au premier étage, il lève encore un verre d'eau pour porter un toast à notre santé. Huit, dix personnes à table. Constamment.

Mais ensuite il ne parvient plus à monter les étages.

Août 2005

La tempête s'annonce.

J'avais une vie si belle et j'ai tout gâché, dit-il soudain. Il s'excuse.

Ce n'est pas toi, pas toi. Ce n'est la faute de personne.

Sanglots.

A l'automne, peu après sa publication, j'ai acheté le livre de l'auteur américain Joan Didion *L'année de la pensée magique*, dans lequel elle pleure la perte de son mari mort brusquement d'une crise cardiaque. C'était le deuxième livre que je lisais depuis des mois, depuis le diagnostic, après *Les mardis avec Morrie* de Mitch Albom. Le temps est partagé en « depuis le diagnostic », « avant et après la première opération » (15 avril), « avant et après la deuxième opération » (12 mai). Didion a écrit ses élégies. Elle a dévoilé la généalogie de la perte.

Elle n'accepte pas la sentence du destin. Pendant des mois elle ne veut pas l'admettre. Elle ne sait pas, elle ne peut pas. Se résigner à sa mort lui enlève son mari à jamais. Ne lui donne aucune chance de retour. Anesthésie le désespoir. Par le verbe, Didion trace jusqu'à l'obsession la carte de sa propre souffrance. Elle vit, elle a toujours vécu par le verbe, elle est écrivain. Elle respire par les mots. Inscrits dans ses veines, ils marquent chaque pas, ils mesurent la poussée des événements et répondent de leur forme en elle-même. J'ai observé avec étonnement l'efficacité de son métier face à l'ultime catastrophe.

Joan Didion et John Gregory Dunne – ce couple d'écrivains américains, d'essayistes, de gens de plume a vécu presque quarante ans de vie commune. John est mort d'une crise cardiaque après avoir passé le cap des soixante-dix ans. Ils partageaient leur vie entre la Californie, d'où Didion était originaire, et New York. A

Manhattan ils étaient un couple important d'auteurs prestigieux du *New Yorker* et de *The New York Review of Books*, et dans le voisinage de Sunset Boulevard ils fréquentaient les cercles de la bonne société d'Hollywood. Ils avaient écrit quelques scénarios de films ensemble, mais aucun n'avait donné une grande œuvre.

Le livre de Didion a obtenu le National Book Award en 2005, dans la catégorie des documents, et a été présenté deux ans plus tard à Broadway sous forme de monologue.

Leur vie de plume avait été bien remplie et appréciée.

La vie change vite.

La vie change dans l'instant.

C'est ainsi que Didion commence son livre. Tu t'apprêtes à dîner et la vie telle que tu la connais s'arrête. Elle avait allumé du feu dans la cheminée. Ils s'étaient attablés. Il avait demandé un whisky. Ils bavardaient. Il avait levé la main comme pour porter un toast. Il était tombé. Surgit la question essentielle : celle de l'apitoiement sur soi-même.

Ce furent les premiers mots qu'elle écrivit après ce qui était arrivé. Pendant longtemps elle n'écrivit rien de plus. Elle a souligné le caractère commun de cet instant. Beaucoup de gens, dans des circonstances semblables, attirent l'attention là-dessus. Instant ordinaire, normal, circonstances ordinaires, communes. Le ciel est haut, la terre sous les pieds, la rue animée ou figée, éventuellement le soleil ou la pluie, indifféremment. Lumière ou crépuscule. Rien de particulier, rien de ce qui devrait témoigner de la portée maléfique de cet instant. Le clair petit matin froid quand le premier avion a heurté le World Trade Center, les champs de coquelicots en fleurs quand l'enfant a traversé la route en courant et que le camion n'a pas réussi à freiner. Je revenais du garage quand le courriel de H. est arrivé – que la tumeur, que le cerveau, que l'hôpital. Un instant quelconque. Chaque instant. N'importe lequel, quel qu'il soit. Non pas choisi mais élu. Inscrit à jamais, déjà. Gravé. Il m'accompagnera maintenant en permanence.

Didion écrit neuf mois et cinq jours après cet instant où, le soir du 30 décembre, son mari a pris place à table. Reviennent en spirale les images successives de ce même moment. Entourées de mots, gravées sur la peau, afin de comprendre, afin que l'enchaînement des souvenirs les organise pour établir une règle.

Ma façon d'écrire, c'est ce que je suis, affirme Didion. L'écrivain a finalement consenti aux obligations de la veuve. Elle prendra note de chaque nuance de la douleur.

Méditation sur le sac en plastique qu'on lui a remis, avec les effets de son mari. Elle se souvient qu'elle voulait en parler avec lui. Silence dans la maison. Dans le sac, ses effets : des factures, des cartes de crédit, une montre.

Démêler les signes d'avant. John lui avait dicté une note pour un livre. Sentait-il déjà qu'il ne l'écrirait plus ? D'autres signes. Des voyages faits ensemble, des échos, des mises en garde. Ce que nous avons fait ensemble. Ce que nous ne ferons plus. Tu t'assois pour dîner. Et la vie que tu as connue cesse d'exister.

Deuil. Tristesse, regret. Lorsqu'ils se présentent nous sommes incapables d'en imaginer la force. Ils paralysent. D'une certaine façon le départ des parents semble plus naturel, plus conforme à l'ordre des choses. Tu prévois toujours des rencontres, tu avales ton déjeuner, tu renouvelles ton passeport, tu raccourcis une jupe. Tristesse, cette tristesse du deuil de l'être le plus cher, de celui qui devait être toujours, qui devait être longtemps, qui a grandi avec toi, qui est devenu toi, cette tristesse te vient par vagues. T'étreint, te knock-oute, te prive de forces. Sommeil. Réveil. Sommeil. Petit matin. Il n'est pas là. Ça ne passe pas. Absence. Il ne demande plus son verre de jus de fruit, il ne lit plus un passage de ton livre, n'apporte ni tulipes jaunes ni roses pâles. C'est irréversible. Elle a dû faire une longue route pour l'accepter. Elle devait, elle voulait être seule pour qu'il puisse revenir. Pour lui donner une chance de retour.

Affliction, lamentation, deuil. Le deuil est une maladie. L'être plongé dans le deuil est malade.

Avant l'enterrement elle a donné tous les vêtements de son mari. Elle n'a pas donné les chaussures. Tout de même, il aura besoin de chaussures pour revenir. Elle a observé le rituel. De l'urne. Des cendres. Cela ne le lui a pas rendu. Ni les chants grégoriens, ni les pleurs. Cultiver le deuil. Comme cultiver le jardin.

L'anthropologue anglais Geoffrey Gorer, dans son livre *Death, Grief and Mourning* (« Mort, désespoir et deuil »), écrit : *To treat mourning as morbid self-indulgence.* Je ne sais pas traduire cela. Le deuil, l'affliction comme une complaisance morbide pour soi-même, malsaine, maladive, souffreteuse, une soumission, de l'attendrissement sur soi-même, la satisfaction de ses propres caprices.

Décompte du temps. A rebours. Tout, maintenant, appartient au passé, un passé qu'on peut brasser dans ses souvenirs, modifier, recréer à sa convenance. Mémoire subordonnée à ce qui la sollicite. Fils ténus du passé, images, étincelles. Ouverture sur l'autre versant d'une commune destinée restée sans suite. Et qui jamais n'en aura. Elle voulait hurler, elle voulait qu'il revienne.

Les survivants ont une autre analyse du passé, ils cherchent des signes qui leur avaient d'abord échappé. La lecture de leur propre vie dans l'autre sens, à contre-courant des événements, restitue des significations ou en ajoute qui n'y étaient pas.

Impossible de contenir le vide qu'il laisse. Veuve? C'est de moi qu'on parle? se demande Didion. *De moi?*

L'écrivain a triomphé de la veuve. Et l'a sauvée.

Ma psychiatre, Mary V., a relevé chez moi le thème de la survie. *Survivor. You are a survivor. Survivor,* c'est celui qui a pu être sauvé. Qui s'est battu pour lui-même, qui a enduré la souffrance, le ghetto, les camps, la faim, l'humiliation, qui a sur-vécu, re-vécu, a été sauvé pour vivre. Rescapé. Ne pas demander aux *survivors* le prix qu'ils ont dû payer. Ce sont ceux qui ont survécu à la guerre qui me l'ont enseigné.

La mort m'accompagne. Accompagne ma vie et mes pressentiments. Depuis des années je prends congé de ceux qui me sont les plus proches, des hommes qui ont compté. Le plus cher s'est tué dans un accident de voiture, trois autres : cancer du cerveau, cancer de la prostate, infarctus en plein sommeil. Des amis aussi, des mentors, des proches. Witek – cancer du pancréas –, mon professeur – cancer de la prostate –, mon avocat, des amis écrivains, Zena, la veuve de mon grand-père, mes médecins, tant d'autres. Mon Singer [1], ma Krzywicka. Les héros des *Disciples de Schulz* [2]…

Pourquoi ? De quoi s'agit-il ici ? Que me faut-il affronter ? Un défi de mes ancêtres ? La tragédie de l'Holocauste, dont je n'ai pas fait l'expérience directe mais avec laquelle je dois régler des comptes en pleurant constamment mes défunts les plus proches ? Pourquoi sont-ils si

1. Agata Tuszynska, *Singer, paysages de la mémoire,* traduit du polonais par Jean-Yves Erhel, éd. Noir sur Blanc, 2002.
2. Agata Tuszynska, *Les disciples de Schulz,* traduit du polonais par Margot Carlier et Grazyna Erhard, éd. Noir sur Blanc, 2001.

nombreux sur ma route ? Et pourquoi n'ai-je pas réussi à convaincre H. que nous n'avons plus guère de temps, que la vie va nous être reprise, que quelque chose va arriver ? Quoi ? C'est arrivé. Et je dois faire avec. Comme avant, comme toujours, il n'y a pas de tarif réduit. Tout doit m'être repris de ce qu'on a repris aux autres, mes aïeuls, mes cousins, mes parents – bagages, maisons, familles, et enfin leur destin inachevé. Je dois me sentir comme eux, me glisser dans leurs chaussures ou dans leur peau, comme je l'ai écrit dans un poème : essayer leurs lunettes d'Auschwitz.

Qui m'expose, et dans quel but, à pareils tourments ? Pour me briser ? Pour m'éprouver ? Démontrer quoi ou transmettre quoi ? Que je dois survivre. Je suis d'une lignée de rescapés. Je dois m'en sortir. C'est ma destinée. J'ai eu de bons maîtres.

Je ne crois pas en Dieu.

Est-ce la fin ? Quand serai-je suffisamment expérimentée pour m'affranchir ? Qui prendra la décision ? Et qu'arrivera-t-il ensuite ?

Je ne veux pas être une victime. Je n'en suis pas une. Je veux lutter. Mais je me sens de plus en plus épuisée, comme un accu pour lequel un seul cycle de charge ne suffit plus. Je suis de moins en moins moi-même, non seulement les forces commencent à manquer, mais la résistance aussi. De plus en plus.

Est-ce que cela se substitue à l'Extermination, en tient lieu ? Car à chacun sa part de destin et la mienne, à laquelle j'ai échappé par une erreur de l'histoire, devait être la guerre. La peur en temps de guerre, l'impuissance, être là et témoigner de l'extermination. Je pense que j'aurais survécu. Et jamais plus je n'aurais été moi-même. Ce serait resté fiché en moi, faute et châtiment, je n'aurais pas su m'en affranchir. Et c'est de toute façon le cas, bien que je n'aie pas vécu la guerre. Mon sort actuel est palpable, de sang et de chair. De sang.

J'ai passé davantage de temps aux enterrements et aux repas d'obsèques qu'à danser. Est-ce le sort que j'ai choisi ? Grigori Kanovitch, écrivain juif de Vilnius, se disait gardien du cimetière juif de Lituanie [1]. Il ne voulait pas quitter Vilnius car il ne croyait pas que quiconque en dehors de lui pût s'occuper de ses morts comme il convenait. Quelqu'un s'occupera-t-il des miens ? De quelles cours, de quelles tombes dois-je être la gardienne et de quelle mémoire ?

Kanovitch a fini par s'en aller à Tel-Aviv. Où est ma terre promise ?

1. « Le gardien du cimetière juif », dans *Les disciples de Schulz, op. cit.*

A un certain moment, lorsque j'ai pu réfléchir, je me suis rappelé les paroles d'un thérapeute mongol d'Oulan-Bator qui, à Varsovie, s'était penché sur mon corps bloqué de partout. C'était dans mon ancienne vie. *L'énergie ne circule pas, passages bouchés, mauvais chakras. Trop de gens dans ta tête,* avait-il dit, *trop de défunts. Laisse-les, quitte l'ombre pour le côté ensoleillé.* Je n'avais pas réussi, j'achevais alors *Une histoire familiale de la peur*. Je pense maintenant qu'il ne parlait pas seulement du ghetto, de la guerre et des générations sacrifiées. Il parlait aussi des défunts les plus proches. De ceux que j'avais choisis par amour et par amitié. De ceux qui attiraient et fascinaient par la vie qu'ils avaient menée. De ceux qui concouraient à ma destinée – sans eux plus plate, plus légère et moins lourde de sens. Ils me rendaient toute-puissante – grâce à leur passé, à sa richesse et à leur capacité de survie. Ils me faisaient l'offrande de leur propre mémoire et de leur force qui, avec le temps, s'était changée en vieillesse – c'est-à-dire en faiblesse, c'est-à-dire en impuissance. Et en mort.

On aurait dit que je devais apprivoiser la mort. Tant d'années, tant d'adieux. Non pas des adieux, juste des êtres perdus de vue au milieu d'un mot. Je me souviens d'un poème de Wiktor Woroszylski sur une séparation dans un escalier et de paroles qui se révélèrent avoir été d'ultimes propos, même si elles n'avaient pas eu ce dessein. Ni cette dimension, ni ce sens. Lues en remontant le temps, elles devenaient message.

Je m'accroche à des fils. Aucune lumière. Je ne suis pas à son côté, l'Inflexible. Le soutien que je suis a perdu toutes ses forces – excepté celle d'être encore un appui. Je pense à ma propre destruction sans regret, comme à quelque chose qui devait m'échoir. Non, je ne m'obstine pas à considérer que cela m'était dû. Mais cela m'attendait. Était dans la sphère de l'épreuve. Du destin.

Les livres que je prends finalement (tout de même), après une longue pause et un long silence, sont ceux qui évoquent la mort, les tumeurs, les chemins vers l'espoir. Je cherche un sens, en vain je cherche un sens. Positiviste en terre de l'absurde. Du fond du puits j'implore la lumière. Mauvaise, fausse métaphore. Mon appel n'a aucune chance. Et je crie plus fort encore.

Mort sans prémonition, séparation sans adieux. Sentence. Sans appel. Crise unique. Cas Didion. Mort longue et lente, conséquence d'une maladie dramatique. Cas Morrie. Le vieux professeur rencontre son ancien étudiant. Mitch Albom s'est résolu à saisir l'ultime leçon, l'ultime service d'un maître de la mort. Voici le plus pur exemple de leçon que puisse nous donner une mort patiente et consciente de sa propre voie. La mort comme leçon de vie, comme un cours qui rend ses participants meilleurs et plus forts pour la suite de leur destin. Plus sages ? Morrie figure dans le conscient de nombre de lecteurs comme le mentor modèle.

Où est H. dans cette équation ? Où voudrais-je et où puis-je le voir ?

Avec un héroïsme serein (résigné), Morrie subit l'épreuve des étapes successives de la perte. La vie (le destin) lui ôte l'autorité, le prive progressivement de ses privilèges. L'affaiblit au rythme impitoyable des progrès de la maladie – atrophie, paralysie des muscles, des tissus, des organes. Immobilisé dans la carapace de son propre corps, il attend humblement de se figer dans le non-être. Il fait encore ses adieux, fait encore le don de lui-même. Il célèbre son départ comme un nouveau don – la grâce du partage de l'amour. L'amour ne le quitte pas, n'est pas en état de le quitter, pas moyen de le lui ôter. Sa mort constitue le triomphe du consentement et de l'amour, justement. Sa mort enseigne la vie.

Si Henryk était alors parti, fin mai, c'est mon Henryk qui serait parti. Mon Henryk que j'ai connu, dont je me suis éprise et que j'ai aimé – mon roc, mon partenaire, mon mentor. Il a survécu. Il a été sauvé. Lui ? Pas lui ? E. dit : *Lui aussi, même s'il n'est pas absolument celui que tu as connu. Un de ses visages.* Un visage plus net, sans les freins de la bonne éducation et des impératifs sociaux. Un enfant capricieux qui exige une attention constante et la satisfaction immédiate de ses moindres désirs.

Un tyran. Il a toujours été tyrannique, mais avec charme. Autrefois il avait généralement raison, maintenant il s'obstine aussi lorsque ce n'est pas le cas. Il s'obstine et il crie, il exige comme un homme malade qui a perdu le contrôle du monde. Ce n'est pas mon H.

Ana est moins sentimentale que les autres, depuis quelque temps elle dit sans détour : *Nous pleurons l'ancien H. Il n'est plus. Prenons-en le deuil. Tu l'as épousé pour le passé, pas pour l'avenir.* Je ne veux pas entendre cela.

Didion n'a pas regardé le combat. N'a pas regardé le départ. N'a pas regardé la maladie mortelle. Elle n'était pas avec quelqu'un qui change à ce point. Elle n'a pas vécu l'épreuve de la présence de quelqu'un qui lui rappelle seulement son mari, qui n'est pas ce qui l'a fait, ce que j'aimais en lui. Le plus difficile c'est l'agression. La violence des comportements, le passage de la fureur à l'indifférence. J'aimais son esprit et ses bons mots, son caractère protecteur et sa suffisance, son assurance et son arrogance, le sentiment de sécurité en sa présence. Qu'en est-il resté ? Il n'est plus cet enfant non plus qui, à l'hôpital, demandait qu'on prenne soin de lui.

Que va-t-il se passer maintenant ?

Shiela W., menue, petite, boucles sombres, zézaiement, est à la tête de l'hospice juif de Toronto depuis douze ans. Accompagner les mourants est ici un métier. Elle a commencé à nous rendre visite lorsqu'on a appelé H. « patient en soins palliatifs ». C'était au printemps 2005. Shiela connaît plus d'une centaine de cas de tumeur au cerveau, jamais elle n'a rencontré de progrès aussi sensationnel dans le traitement. Elle le dit à H., à la grande joie de celui-ci, chaque fois qu'elle vient. Mais maintenant c'est pour moi qu'elle vient. Elle a vu, aussi, beaucoup d'épouses exténuées par leurs maris agonisants. Elle veut m'aider à trouver mon propre espace, elle m'encourage, m'engage à sortir de la maison, à être hors de portée de la maladie de H., de ses exigences, de son cri, de l'oppression.

Parfois je me plains auprès d'elle de ce que H. est difficile et insupportable. Parfois je lui demande comment cela évoluera, ce qu'elle sait, ce qu'elle a vu. *Il n'y a pas de règle*, dit-elle. *Il n'y a pas de règle. De toute façon il a battu toutes les statistiques.* Et elle me demande combien de l'ancien H. il y a dans le nouveau et si je n'ai pas l'impression qu'il est heureux. Il ne meurt pas, son état est stable.

Je demande à Shiela à quoi tient sa présence aux côtés des mourants (un espace de vie considérable qui m'est absolument inconnu – pourquoi quelqu'un veut-il se dévouer à cette sorte de service ?). Elle m'a raconté la mort de son frère : *J'apprends avec ceux qui s'en vont. Ils sont pour moi une inspiration, ils me permettent d'apprécier le monde et ce que j'ai. Ils enseignent l'humilité et la joie. Tout ne nous est pas dû, il faut parfois se satisfaire de ce qui est. Et trouver le bonheur dans ce qui nous a été donné, ce qui nous est destiné.* Elle a créé un groupe de soutien aux mourantes, elles se retrouvaient à quatre, cinq, elles bavardaient, se soutenaient le moral. Elles s'en sont allées l'une après l'autre, chacune avec sa tumeur. Plus riches d'elles-mêmes.

Elle est réaliste, elle sait que la vieillesse l'attend comme les autres, comme tout le monde, que la maladie concerne chacun d'entre nous. Elle installe chez elle une salle de bains avec douche au niveau de la chambre, afin de n'être pas surprise par une infirmité. Elle croit que l'âme vit, ne disparaît pas. Se métamorphose, mais subsiste.

Puis-je effectivement, par mon écriture, remercier les amis qui sont avec nous ? Ai-je le droit de stigmatiser ceux qui ont déçu ? Vilaine pensée. Grande tentation. Car il y a un ami d'enfance parmi eux, un intellectuel qui a puisé à poignées dans la tête de H. quand celui-ci était en bonne santé et qui, maintenant, ne peut se résoudre à une rencontre. Il y a aussi un *tsaddiq*[1] qui souffre pour le peuple d'Israël, qui prie chaque vendredi et qui a tellement peur de la maladie qu'il préfère laisser tomber un ami. *Et pourtant nos mères se connaissaient,* dit H., les larmes aux yeux. *Je n'ai pas beaucoup de gens comme lui au monde.*

Comme les caractères humains sont devenus lisibles dans ces circonstances. Et sans équivoque les appréciations. Jamais je n'ai été aussi résolue. Ni aussi intransigeante à l'égard de ces quelques-uns qui n'ont pas été à la hauteur de leurs responsabilités.

Pourquoi ai-je pensé à eux ? Ils étaient si peu nombreux par rapport au mur des autres – rocs d'amitié et d'amour. Je me les rappelle seulement parce qu'ils ont fait souffrir H., et cela je ne veux ni ne sais l'oublier.

Non, je ne les juge pas. Ni ceux qui ont eu peur de la maladie. Ni ceux qui croient en Dieu et veulent sauver le monde mais ne savent pas décrocher leur téléphone pour faire entendre à H. une voix humaine. Peu m'importe leur peur. Je sais que je ne veux rien avoir de commun avec eux. Jamais. Je dis rarement « jamais ». Je me permets rarement de biffer qui que ce soit. Je ne porte pas d'appréciation. Habituellement je veux comprendre. Pas maintenant.

---

1. En hébreu : « juste », « charitable ». Dans la tradition juive, un homme exceptionnellement pieux et croyant.

Ils sont peu nombreux. Et seulement des hommes. Gloire à vous, femmes, amies et amantes, servantes du corps, de la tendresse. Vous êtes grandes, vous êtes autres. Je ne vous avais pas appréciées comme peuple. Mais vous, les garçons, les intellectuels, raisonneurs se sacrifiant pour l'humanité, je compatis. Je ne veux pas vous connaître.

Comme en écho, un poème de Różewicz, *Le dit des vieilles femmes*, résonne à mes oreilles.

J'aime les vieilles femmes
les femmes laides
les méchantes femmes

elles sont le sel de la terre

elles n'ont nulle aversion
pour les déchets humains
elles connaissent
le revers de la médaille
de l'amour
de la foi

Mes femmes à moi n'étaient pas vieilles. Mes femmes n'avaient pas peur d'un corps malade, abîmé, déformé, différent, elles n'avaient pas peur des nécessités de service et d'assistance. Elles souriaient et tout dans leurs mains paraissait naturel. Laver, lessiver, nourrir, changer de linge, remmailloter, laver, lessiver, nourrir, lessiver, changer la literie et le pyjama, laver, nourrir. Bercer pour endormir.

Et moi aussi je connais ce rythme, je l'ai quelque part sous la peau bien que je n'aie pas élevé d'enfant.

Jamais auparavant je n'avais pensé sérieusement en termes femmes-hommes. En termes d'écriture, de travail, de carrière, de distinctions. En termes de jugement personnel, de confrontation avec le monde, de respect, de service réciproque, de promesses. Jamais je n'ai partagé le monde par moitié selon le sexe. Ce n'est que maintenant, quand j'observe les autres autour de moi, eux et leur rapport avec la maladie, que je vois une différence.

Quelques-uns seulement, ceux qui ont persévéré à nos côtés, confirment la règle.

Nous avons exigé beaucoup.

Nous avons exigé beaucoup car nous avons été longtemps malades. L'héroïque disposition au dévouement et au combat prend généralement fin au bout de quelques semaines. Nous avons persévéré ensemble de longs mois. Comment vous remercier ?

Il y en a que la maladie dépassait. Il leur fallait revenir à eux à certains moments, fermer les yeux. Souffler pour être sauvés. Il y a des médecins qui y étaient habitués et qui la traitaient « en professionnels ». Après des semaines et des mois, il y en a que la maladie lassait. Ceux-là, je les comprends, je les serre dans mes bras, qu'ils m'excusent. Nous vivons. Malgré tout, nous vivons encore. Vous pouvez rester, vous pouvez poursuivre, mais il n'y a nulle obligation de ce genre. Votre présence a eu de l'importance. Longtemps, patiemment. Le destin écrira le reste. Nous connaissons vos traces, vos mélodies, vos saveurs. Nous savons que vous, c'est vous. Que vous n'avez pas fait défaut, que vous êtes prêts à partager notre destin.

Je ne sais toujours pas comment vous remercier.

3 octobre 2005, nous avons célébré le Nouvel An juif, Roch Hachana 5766 : *May you be inscribed in the Book of life.* Sois inscrit dans le livre de la Vie. Quel paragraphe nous indiquent-ils ? Mais peut-être n'est-ce qu'une simple phrase ? Que contiendra-t-elle, quel est l'essentiel ?

Je ne sais pas me réjouir des instants offerts. Je ne sais pas maîtriser le fardeau de l'échéance, le pressentiment de l'ultime. Cela a formé en moi un dépôt obscur, c'est devenu une glèbe intérieure, une scène sur laquelle se joue un acte de ténacité provisoire. Ténacité tellement unique, tellement fragile, tellement passagère qu'elle en est irréelle. Je n'en sens pas l'aspect concret, uniquement la lassitude. Et l'inutilité. Je n'accepte pas cette ténacité. Cette ténacité-là.

Je n'accepte pas sa présence absente, le pas-lui en lui, ce jeu avec des cartes pipées. Je sais, nous savons l'un et l'autre que nous devons perdre. Nous n'en parlons pas, nous ne l'évoquons pas. Je sais que nous perdrons, seulement je ne sais pas quand. *Tu dois te réjouir,* dit quelqu'un, *le jeu continue.* Tout est encore possible. Pour l'instant nous faisons l'apprentissage de la perte. Nous sommes moins aptes à certaines choses, d'autres ne nous concernent plus, il en est d'autres encore qu'il ne nous est plus permis d'observer que de loin. Nous ne marcherons plus ensemble au bord de la mer, nous n'escaladerons plus de pyramides au Mexique, nous ne jouerons plus au billard, nous ne ferons plus de roller sur les bords du lac Ontario. Mais nous pouvons encore nous tenir par la main. Toucher nos visages, ils ont changé mais ce sont les nôtres. Nous pouvons rester allongés l'un près de l'autre, en silence pour ne pas effaroucher la tendresse. Écouter la pluie.

Voilà ce qu'est l'irruption dans le giron de la perte, en tirer ce quelque chose qui nous permet de subsister. Malgré.

Des bénévoles viennent chez nous. Ceux qui veulent aider les cancéreux. Généralement des femmes. La sollicitude se lit dans leur regard. Kristina, fonctionnaire retraitée, est arrivée en Mercedes Sport, Buddy vient à pied, une heure de marche dans les deux sens. Elle réfléchit alors à ce qu'il est important de faire de sa vie. Quelque chose d'autre que des projets, quelque chose d'autre que la production et la vente de parfums. Quelque chose pour les autres, parce qu'ils en ont besoin. Elle aime la chaleur, elle est originaire de Jakarta. Jessica vient à peine de terminer ses études. Cette grande blonde ne veut créer de soucis à personne. Elle ne sait pas encore à quoi elle voudrait se consacrer. Elle commence sa vie. Et c'est ainsi qu'elle veut la commencer, en étant une aide, un appui. Elle nous remercie constamment pour les leçons.

Leçons de quoi, ma chérie ?

De courage.

Elle a peur de la maladie, mais cela l'attire. Elle est un secours, un soutien, elle écoute et regarde. Elle apprend. J'ignorais que j'apprendrais CELA.

Voilà novembre 2005. L'horizon de la douleur se cicatrise. Au-delà de la fenêtre, automne humide, noyé de larmes. Sol jonché d'or, hermétiquement couvert de feuilles d'érable. Nous foulons cette couche glissante avec précaution afin de ne pas perdre l'équilibre. Tu tiens ma main. Tu ne vas nulle part tout seul.

Mon stylo n'a pas touché une feuille de papier depuis des mois. Je ne pouvais ni écrire ni lire. Les mots m'avaient abandonnée. Et trompée. Le désespoir était muet. Envahissant. Irréel et douloureusement dénué d'ambiguïté. Il a été mon quotidien pendant tant de semaines. Je pensais ne pas être en état de l'affronter. Et que les mots, certainement, en étaient incapables.

8 novembre 2005

Nouvelle visite à l'hôpital. Prise de sang au laboratoire du rez-de-chaussée, en route vers les hauteurs, tout en haut, vers la clinique du cancer du cerveau. Activités routinières. Même la fierté de son état que manifeste H., les conversations avec les infirmières et les médecins, la pesée, l'attente du docteur Mason dans une petite pièce – nous connaissons déjà tout cela. Je ne sens aucune menace. Je sais que l'état de H. est stable.

Nos dernières visites dans cet hôpital ont effacé la vie nomade du printemps au dix-septième étage, dans les salles successives où il souffrait en silence et dans un demi-sommeil. J'y ai passé des journées entières et quelques nuits. Toujours près de lui, toujours à portée de main et de soupir. J'ai fait la connaissance de toutes les chaises et de tous les fauteuils revêtus de skaï, brûlants dans la touffeur des odeurs d'hôpital. La salle d'attente que nous occupions sans pitié, ne laissant nulle place aux autres visiteurs, mangeant des tripes et du bouillon, sirotant parfois de la vodka. Jour et nuit, des jours et des nuits. Toujours des amis, toujours quelqu'un qui interpelle, qui enlace et qui essuie ses larmes. Une énorme tendresse pour nous. Pour lui et pour moi. Énorme. Impossible à rembourser. Impossible à oublier.

La neige tombe. Elle clôt le conte hivernal. Exercice d'humilité. Elle permet de se draper de blanc, le blanc qui purifie, le blanc qui isole et libère. Caresse de la neige. Sans souffrance, je pense à moi sous la forme d'un glaçon.

Rêve. Qu'est-ce que je cherche dans le rêve ? Et que cherche-t-il, lui ? Que découvre-t-il ?

Souvent il ne peut pas dormir la nuit. Corticoïdes ou inquiétude, peu importe. Il est seul en bas, ou bien il grimpe l'escalier pour venir jusqu'à moi, tout en haut, dans la chambre qui nous est commune depuis des années. Cela n'aide pas non plus. Il se tourne et se retourne sur le lit, il ne peut trouver sa place, il lui faut se lever. Nous ne parlons pas de la peur. Il ne dort pas. Il ne veut pas dormir. Mais peut-être craint-il seulement de s'endormir ? Peut-être sent-il que le sommeil comporte une menace ? Il a demandé un morceau de pain à plusieurs reprises au milieu de la nuit. Un instant plus tard il s'endormait, avec ce bout de pain dans la main ou dans la bouche.

Il dormira. Il va dormir de plus en plus. Sans souffrir. Sans désespoir. Un sommeil de plus en plus profond en lui-même. Avec le temps il s'enfoncera dans la mort. C'est ce que disait le médecin. C'est le sens de ce qu'il disait.

Il dort. Je vérifie qu'il respire. Je me blottis contre lui. Il est là. Je l'embrasse. Il est là. Il dit quelque chose dans son sommeil. On ne peut comprendre. Il est là. Et je suis là moi aussi. Nous sommes là.

La comparaison du sommeil avec la mort est assez fréquente dans la Bible. Ceux qui dorment se reposent (Job). Lazare dort dans sa tombe.

Selon les médecins, H. s'affaisse dans le sommeil, s'éloigne dans le sommeil. S'enfonce dans ses fondrières. Il a toujours des difficultés avec le sommeil. Nous persévérons. La croûte de pain fond sous la langue.

Grande lassitude. Lassitude à la limite de l'effondrement, lourd fardeau qui met dans l'impossibilité de persévérer. Grand besoin d'aide. Perte de sang et de force.

Quand H. est tombé malade j'ai cessé de m'occuper de moi. Et puis lors du mariage, le 1er juin, je me suis peint les ongles pour la première fois depuis des mois, un rouge criard. Maintenant je le fais en permanence, je les ai peints jusqu'à la fin de l'année, en rouge foncé, en prune, presque noirs, couleur de rouille. Autrement. J'ignore à quoi toute cette rutilance doit se substituer.

Maquillage. Ombre de satisfaction du fait qu'on ne voit pas ce qui se passe au-dedans. Comme on peut facilement tricher. Est-ce le cas ? Le masque du maquillage. Comment décris-tu maintenant ton visage ? Et le sien ?

Il est difficile de respirer parmi tant de lys blancs.

Je regarde les fleurs droit dans les yeux.

Alena, encore une du groupe de ta jeunesse canadienne. Mère d'un garçon autiste, abandonnée par son mari, ayant fui Prague avec sa famille, elle m'a raconté que pendant quinze pénibles années elle s'était répété : *Je ne permets pas que cela me détruise. Je ne le permets pas.*

J'ignore si j'aurai besoin de moi ensuite, quand H. ne sera plus. Je ne veux pas être sauvée sans lui. Je ne veux pas vivre.

A cela quelqu'un dit : *Réfléchis, que souhaiterait-il pour toi, lui ? Peut-être commets-tu tout de même un péché ?* Quelqu'un d'autre explique que H. nous donne une leçon de combat et qu'on ne peut se résigner tout bonnement ainsi, capituler ensuite. Ce serait une trahison à son égard. Et à l'égard de la peine qu'il s'est donnée.

Et de plus : *Tu nous es nécessaire, à nous, les amis.*

Que voudrait H. pour moi? De quel patrimoine me fait-il l'héritière?

Aujourd'hui je me demande qui peut priver qui de la vie et comment. Oter la vie, tuer l'espoir est-ce déjà la fin la plus cruelle? Que tuer en soi pour sentir qu'il n'y a pas de retour possible? J'entends chanter les oiseaux. J'entends, mais H. cessera de les entendre, je le sais et jamais je ne m'y résignerai.

Le 21 novembre 2005, Joan Didion est venue à Toronto. Salle de l'Harborfront pleine à ras bord.

Frêle femme, extraordinairement maigre, sans poitrine (petit pull-over rose), si maigre que lorsqu'elle pénètre sur la scène elle paraît imposante. Elle s'installe à la tribune et commence à lire. Voix rauque, comme un automate – il est tombé, le cœur, la mort. Pâle, visage tiré, cheveux clairs, lisses, qu'elle redresse fréquemment. On voit alors pour la première fois la taille de ses mains, leur couleur, leur aspect noueux. Comme les racines d'un vieil arbre, comme s'il y avait sous la peau un écheveau de perfusions, le réseau des veines – des canules, des appareillages pour maintenir la vie. Ils s'agitent au-dedans, pompent, mélangent. Elle a appris à écrire à la machine en recopiant Hemingway – de ces mains-là.

Dans la lumière des projecteurs se reflétait le rude éclat du désespoir. Didion était nue dans la douleur. Désespérée dans cette démarche pour témoigner de ce qui lui était arrivé. Il n'y avait nulle peur en elle face aux regards étrangers, elle se donnait le droit à ce jeu par désespoir. Par instants elle me semblait héroïque, par instants exhibitionniste.

Pourquoi a-t-elle écrit sur ce sujet? Je sais. Elle est écrivain. Elle voulait comprendre, il lui fallait comprendre ce qui était arrivé, ce qu'elle avait subi et pourquoi. Il n'y a pas d'autres outils, seulement les mots (tant de mots). Pendant des mois elle n'a été en état de rien écrire. Lorsqu'elle a commencé à réfléchir à une structure, elle a su que cela donnerait un livre. Elle n'a pas eu de difficultés à en imaginer la forme, au bout de quelques jours de travail elle a su qu'elle voulait répéter cette épreuve en scènes multiples. La dernière scène – celle de la mort, ressassée de manière obsessionnelle avec des détails toujours nouveaux, des sentiments autrement distribués. Matériau brut, fréquentation directe de sentiments changeants, observation du deuil. De son cheminement, de ses ornières, de ses étapes.

Écrivains tous les deux, ils avaient passé quarante années ensemble, tout à côté l'un de l'autre, séparés par un couloir. C'est ensemble qu'ils écrivaient et voyageaient, qu'ils avaient élevé leur fille et qu'ils se rendaient à des rencontres littéraires et politiques. Ils aimaient plutôt être l'un avec l'autre qu'être avec les autres. Une année, en guise de cadeau d'anniversaire John lui avait lu un passage de son propre livre, à elle. Accompagné de ce commentaire : « Ne me dis plus jamais que tu ne sais pas écrire. »

Il avait eu un pressentiment. Et un avertissement. Il était cardiaque. Il lui disait parfois qu'ils consacraient beaucoup trop de temps à des choses qu'ils ne voulaient pas réellement faire.

On vit comme si le temps était sans limite, comme si on nous avait promis l'éternité. Il ne faut pas commettre cette erreur-là. Il ne faut pas remettre la vie à plus tard.

Ce livre était un dialogue avec son mari. Dès lors qu'elle avait écrit la dernière phrase elle avait cessé de s'entretenir avec lui. (Je sais seulement maintenant que j'ai peur de cela. Je ne veux pas finir ce livre, je ne veux pas.)

Lorsque j'approchai de sa table, à la fin, pour lui demander un autographe, elle me parut être de verre. Visage à la peau tendue, sec, yeux fixes. J'eus peur de la blesser d'un regard.

Deux jours après cette rencontre je ne peux toujours pas cesser de penser à elle. Lettres tremblantes de l'autographe sur la page de titre. Je sais pourquoi il lui a fallu écrire ce livre, survivre par les mots, mettre le deuil en ordre, l'absence, le désespoir, le vide. J'ignore pourquoi elle accepte les rencontres, la confrontation avec le public, de dévoiler son visage (un masque) devant des étrangers et de dire (taire) ce qu'elle est elle-même et ce qu'est sa douleur. *Pourquoi l'a-t-elle fait?* ai-je demandé à H. *Parce qu'elle est écrivain.* Good enough answer. Explication suffisante.

A la fin de l'automne, H. crie souvent. Il est impatient. Il n'aime pas attendre. Il explose.

Il a des accès de fureur de plus en plus violents, il me jette hors de la maison, il m'invective. Je ne sais pas dompter sa furie. Je m'explique à moi-même que ce n'est pas lui, que c'est la maladie, que c'est quelque chose en lui qu'il ne peut maîtriser. Il ne s'en rend d'ailleurs pas compte. L'objet de ses attaques ce n'est pas seulement moi, bien que ce soit le plus souvent le cas parce que je suis la plus proche, mais aussi les amis, quiconque se trouve à sa portée, tout comme les gens dans la rue, au café, dans les magasins. Il l'oublie vite. Moi, plus lentement.

J'ignore jusqu'à quel point H. se maîtrise, à quel point il est en état de contrôler ses émotions. Peut-on contenir ces explosions, est-ce que cela aide d'en parler? D'une seule haleine il assure que je suis inutile et que je gâche sa vie, et un instant plus tard que je suis son miracle et que sans mes soins et ma présence il y a longtemps qu'il ne serait plus de ce monde.

Il est malade, très malade. Je ne sais pas toujours penser ainsi lorsque cela se produit.

C'est aussi cela, la lésion du cerveau.

Ewa S. demande si aujourd'hui comme alors, en mai, lorsque les médecins voulaient prendre congé de lui, je ferais la même chose, je demanderais qu'on le sauve à tout prix. De quel prix s'agit-il? *Si tu estimes que ça valait la peine,* dit-elle aujourd'hui, fin novembre, *efforce-toi de trouver chaque jour, à chaque heure, quelque chose qui confirme cette valeur.*

La mère de mon amie, qui a enterré il y a des années son mari tant aimé, victime d'un cancer et d'un traumatisme crânien, dit que tout s'oublie, les pires injures, les accusations de toutes sortes, les disputes, les cris, la fatigue des mois sans sommeil, le dépiautage de ce qui restait de l'amour. Après tout cela, l'amour revient. S'il a jamais existé. La mère d'Ania en déborde.

L'automne a été trop pénible. Crises de colère, agression, paroles affreuses, fureur, coups de poing. Impuissance, la sienne et la mienne. La nôtre. Mais pas commune. Me suis-je habituée ou est-ce le fait de savoir que ça passe qui me le fait endurer ? Qu'en est-il de notre (humaine) résistance, s'émousse-t-elle ou bien sommes-nous sauvés en élevant des murs qui nous isolent ?

S'il était parti au printemps, lorsqu'il s'en allait et que, de toute la force et de tout le pouvoir de l'amour, je l'ai retenu, je ne l'aurais pas connu ainsi changé par la maladie. J'aurais perdu mon amour, mon homme, mon roc, mon appui, le sens de ma vie, mais je n'aurais pas connu H. changé en dictateur dénué d'empathie, en homme qui ne domine ni ses émotions ni ses éclats. Lumière rouge. Quel droit ai-je d'écrire ainsi ? Il n'a aucune prise là-dessus. C'est qu'il se sauve lui-même. Il fait ce qu'il peut pour s'extirper à lui-même des réserves de force. Il a une vigueur énorme. Il mobilise des ressources cachées. Quand bien même ce serait à mes dépens. Aux dépens de quiconque est à sa portée et dont la vie n'a pas été si radicalement changée et à ce point marquée. Nous avons gagné contre la mort. Pour le moment. Comme ma grand-mère contre la guerre. Elle était presque sauvée. Elle a péri à la fin de 1944 alors qu'on sentait la libération dans l'air. Nous avons encore devant nous un chemin de douleur. Un sol fangeux. Des champs de mines sans le mode d'emploi.

Les groupes de soutien. Je n'y ai jamais cru, je n'ai jamais participé à aucun. Je n'ai jamais compris l'intérêt d'une thérapie collective. Les conversations qui pouvaient aider ne se déroulaient, à mon sens, qu'en tête à tête.

J'étais à bout. Incapable de me faire à ton agressivité. Entraînée par des amies, j'ai tenté les rencontres que l'hôpital offre aux familles touchées par les maladies cancéreuses. Principalement des femmes, des épouses, le glioblastome frappant en majorité des hommes. Mais aussi deux partenaires, femmes de leurs épouses. Partager le fardeau du malheur, parler à plusieurs voix de la tragédie qu'est aussi mon épreuve.

Il a perdu conscience, il est tombé, il a dégringolé d'une échelle, nous avons pensé que ce n'était rien, manque de maîtrise de soi, diagnostic, diagnostic, diagnostic, corticoïdes, perte de contrôle, éclats, première opération, retour à la maison. Il lui a fallu réapprendre les mots au tout début et les ajuster à leur signification... La famille a rompu toute relation avec nous car ce genre de maladie définitive n'est pas une référence du succès et de la prospérité. Nous avons de jeunes enfants. Nos nièces ne veulent pas jouer avec eux. Leurs parents sont des gens cultivés. Il ne peut sortir seul de la maison. Il pleure. Il perd la tête. Il nous faut être forts. Il y a des tâches concrètes à remplir. A la banque il crie, j'ai cessé d'avoir honte. Il ne s'agit pas de moi. Eh bien, qu'on me regarde. Qu'on se frappe la tempe avec un doigt. Il se querelle dans la rue, il a l'impression que les passants le bousculent. Je me tais. Au café il s'impatiente. Tout doit être instantané, immédiat. Il essaie d'installer le magnétoscope, je sais qu'il n'y arrivera pas mais je n'interviens pas tant qu'il n'a pas demandé lui-même qu'on l'aide. Il n'est pas capable d'aller aux toilettes. Il ne peut pas rester seul. Nous rusons avec le destin. On ne peut permettre qu'ils se sentent pires que les autres, moins hommes, perdus. Cela les tue plus vite que la tumeur.

Oui, le pire c'est qu'ils ne sont plus les mêmes maris, les mêmes amants, les mêmes pères. Pas les mêmes. Ils regardent autrement. Ils parlent autrement. Ils aiment (aiment-ils ?) autrement. Mais ils ne le savent pas. Ou ne veulent pas le savoir. Ou bien ils essaient de se tenir debout, repoussant tout ce qui pourrait contester leur force. Leur prétendue force, l'ombre de l'ancienne, mais aussi longtemps qu'il leur reste une lueur de combativité ils ont l'impression qu'elle est là. Autrement, autrement nous ne serions déjà plus ici.

Ensuite ils arrivent de leur séance. Blessés, bizarrement tordus, comme sortis d'une toile cubiste, en bonnets couvrant les cicatrices. Ils suscitent tendresse et peur. Rescapés ?

J'avais l'impression de participer à un film sur le sujet. J'ai peu parlé. Certes, je ne suis pas seule. C'est un bien maigre soulagement.

Ton problème réside en ceci, *dit Ewa S., que tu t'efforces de le traiter comme s'il était bien-portant, comme avant, comme si la maladie appartenait au passé. Ce n'est pas le cas. Ce n'est pas le même H. qu'avant le diagnostic. Celui-là n'existe pas. Tu refuses de prendre en compte qu'il n'est plus cet homme-là. Tu soutiens la conversation, tu argumentes, comme avant, comme avec quelqu'un de bien-portant. Il n'est pas bien-portant, même s'il connaît par cœur des centaines de poèmes en trois langues, s'il se rappelle les noms et les titres, si l'histoire et la littérature sont restées à leurs places dans sa tête. Il n'est pas le même.*

Des modifications de la personnalité accompagnent la lésion de la partie frontale. Le malade ne peut contrôler efficacement ses impulsions et ses réflexes, il n'est pas capable d'attendre qu'on satisfasse ses besoins. La faculté d'attendre lui fait totalement défaut. C'est ce qui s'est produit, bien que la tumeur de H. se soit développée plus profondément et en arrière.

Il crie, il enrage, il tremble de tout son être. Il appelle. Il commande. Immédiatement. Tout de suite. Maintenant. A l'instant. Il exige. Je comprends qu'il en veuille au monde entier, qu'il soit furieux de ses limites physiques, qu'il voie mal, qu'il ait du mal à marcher, tout cela je le comprends, je pleurerais moi-même sur mon propre sort dans sa situation. Lui ne pleure pas. Ne se plaint pas. Il crie après moi, après moi parce que je suis la plus proche, parce que son corps l'a trahi, parce que l'espoir l'abandonne.

Au début de décembre H. était d'accord pour mon voyage de quelques jours à New York. Mon agent, Carol, m'incite à l'exercice physique qui libère une part de mes inquiétudes et de ma peur. Mon ami Richard, que nous appellons l'Éternel Juif Traducteur, m'achète un carnet de notes. Nous marchons jusqu'à la Quatorzième Rue par la Cinquième Avenue, c'est une de ces papeteries que j'adore, le genre de magasin où je ne puis réprimer mes envies de possession. Le cahier a une couverture noire et des pages lignées d'un blanc de neige. Nous commencerons à écrire tous les deux, parallèlement. C'est conclu.

Je n'ai aucune issue. Je peux écrire ou devenir folle. Écrire, se battre pour soi-même, comme le conseillent les amis. C'est aussi ce que conseille le rabbin Joseph Polak qui a prié auparavant pour la vie de H. *C'est le destin qui te le dicte,* assure Richard, *tu ne le vois donc pas ? Il doit bien y avoir quelque raison pour que cela t'arrive. Cela t'a été donné dans un but.* R. m'a même suggéré le titre de *Phantom pain* : la douleur dans un membre qu'on a amputé. La douleur de la perte avant que la vie passe, car notre vie telle que je l'ai connue n'existe pas. De nouveau je ne cesse de m'écarter de la plume et du cahier.

Avec le rabbin P., conversation en tête à tête, confession, écoute. Conversation avec quelqu'un de plus âgé, un homme de Dieu, quelqu'un qui, par définition, devrait comprendre et apporter un soulagement. S'agissait-il pour moi de consolation, de compréhension ou, peut-être, d'une explication de ce qui s'était passé ? Cherchais-je en lui un père ou bien H., lui qui connaissait toujours les réponses à toutes les questions et savait toujours me rassurer ? Avec lui et près de lui j'étais toujours en sécurité, rien de mal ne pouvait se produire.

Parle de toi, demande le rabbin. *De toi. Pas de lui. Parle de tes sentiments.*

Je me sens seule, très seule et abandonnée par H. *Écris-le,* dit le rabbin. *Écris sur le vide. Décris-le. Écris sur les larmes, sur l'impuissance et le soulagement qu'apportent les larmes. Décris les larmes. Tu en es capable. Tu sais combien cela peut être important pour beaucoup de gens. Pour ceux qui, comme toi, ne s'en sortent pas, mais qui ne sont pas non plus capables de soumettre leur vie à la réflexion.*

Ce n'est pas cela qui était convenu, ce n'est pas cela que tu as attendu pendant toutes ces années. Le destin n'a pas respecté le contrat. Ce devait être autrement.

Je ne veux pas être brave. Je ne veux pas entendre dire combien je suis brave. Il n'y a pas le choix.

6 décembre 2005

Nouvelle visite au Princess Margaret, l'hôpital qui semblait être, au printemps, l'étape ultime. L'hôpital où nous revenons chaque mois pour une nouvelle dose de poison qui prolonge le combat contre la tumeur. J'ai foi en sa foi, j'ai cessé de redouter les visites successives. Prise de sang en bas, ensuite ascenseur jusqu'au dix-huitième étage, le plus haut. Centre du Cancer du Cerveau – on peut s'habituer même à ce nom-là. Au début, pendant de longues semaines, chaque fois que je franchissais le seuil de ce lieu je me sentais marquée. Élus de la mort, préparés au désastre. Patients sans cheveux, avec des excroissances, des cicatrices, sur des chariots, avec des perfusions, amaigris ou bizarrement obèses, visages rendus lunaires par les médicaments. Ils bougent encore, encore rescapés de ce nouveau round, de plus en plus faibles, davantage vaincus et humiliés. Ils sont encore là, ils persistent, ils tentent le combat.

Pour nous, le temps était un espace à combler. Depuis des années j'avais le pressentiment qu'il nous leurrait, que nous n'arriverions pas à temps, qu'il échappait à notre emprise. Rempli d'événements et de tâches que nous n'avions pas toujours organisées. Mais nous avions sur lui un contrôle, même partiel. Le temps que nous passions ensemble était généralement à portée de main et de pensée. Il n'y en avait pas beaucoup. Une semaine, deux c'était déjà beaucoup, mais il y en avait encore. Il signifiait : ensemble ; il signifiait : NOUS.

Pendant tous ces mois une impression d'irréalité ne me quitte pas. En permanence. Quand j'attends devant la salle d'opération, que je le change, que j'aide à le baigner, quand il délire, quand il écrit, quand il est insupportable et quand il a peur. Qui sont ces gens à qui c'est arrivé ? Eux ? Nous ? Et plus jamais comme avant ?

Après l'opération, le docteur Menard a dit que H. parviendrait peut-être à survivre deux ans. J'étais brisée. Mais je sais aujourd'hui qu'elle disait cela avec beaucoup d'optimisme en considérant la forme qui était la sienne. Après la deuxième opération il était dans un état grave. Elle comptait le temps en semaines. C'était en mai.

Hiver 2005. *Il va mieux,* dit Olga, *regarde les choses en fonction des journées au Princess Margaret. Je crois vraiment,* dit-elle aussi, *que tout a un certain sens.* La nécessité de mettre en ordre, c'est-à-dire de justifier, et peut-être d'un happy end, semble une garantie de compréhension. Justifiée ?

Il y a ce terme anglais : *timing.* Ce peut être une bonne ou une mauvaise séquence du temps. Les événements surviennent alors que nous les attendons, ou trop tard, pas au bon moment. Alors ils nous gouvernent autrement. Les projets sont une manipulation du temps façonnée en fonction de nos envies ou de nos caprices. Le calendrier contraint la réalité à se maintenir dans un certain ordre. Il l'organise en semaines, en mois, en saisons, en un carrousel d'anniversaires et de fêtes. Nos projets humains nous donnent le sentiment de dominer notre propre destin, l'impression que quelque chose dépend de nous. Comment une maladie, une maladie mortelle, change-t-elle la perception de l'écoulement du temps ? Comment en perturbe-t-elle le sens ? Le passé et l'avenir ne sont pas équivalents par rapport au temps présent, ils n'en sont pas le reflet dans un miroir. Le passé est clos, pétrifié, rien ne peut plus être changé. L'avenir – en théorie – se caractérise par ses possibilités, il est ouvert. Pour les bien-portants.

Nous, nous n'interprétons qu'un court extrait de la partition du temps (la récompense n'est pas précisée) qu'on appelle, dans le jargon des rescapés, temps d'emprunt ou temps donné. A cheval donné… on ne regarde pas la bouche. Pour quelle durée ce temps est-il donné ? Mon temps donné est empoisonné par un pressentiment – la certitude de l'échéance.

La prière pour la vie a remplacé la prière pour la paix.

En décembre encore je sentais, je savais, que son état était stable, il ne se passait rien qui aurait pu indiquer une hyperplasie. Prise de sang, nouvelle visite, ascenseur pour le docteur Mason. Personnage énigmatique, bienfaiteur à l'égard de qui je n'ai jamais éprouvé de reconnaissance. Il dispensait la chimio à la requête d'un autre médecin, le docteur Tompson, appelé par les uns Néonazi, par les autres Polichinelle (petite moustache, brillantine, buste raide et pas de parade). Mason n'est pas expansif, n'est pas compatissant.

Veuillez vous lever, vous asseoir, vous lever sans l'aide des mains, tendre les bras, fermer les yeux. Étant donné la cordialité de H. *(Merci docteur, je me réjouis de vous voir, c'est seulement grâce à vous et à mon épouse que j'arpente encore ce monde, vos soins n'ont pas d'égal. Sans vous…)*, sa réserve paraît arrogante. Impertinente face à la fierté d'un patient qui, pour le moment, a réussi à gagner le combat pour un instant encore. Cette constatation n'aurait pas plu à H. Il pense que la victoire est définitive et que c'est pour ça qu'il est toujours là.

Veuillez fermer les yeux, porter la main à votre nez, la droite, la gauche. Combien voyez-vous de doigts ? Excellent. Au revoir, après les fêtes. Dans les six semaines.

H. dit à un autre médecin : *J'ai toujours été arrogant.* Et sa réponse à elle : *Ce sont ceux qui s'en sortent le mieux dans le combat contre le glioblastome.* Ils refusent de croire au diagnostic. Ils en contestent l'absence impitoyable d'équivoque. Ils roulent la médecine et les statistiques à force de volonté. Ils abrogent l'existence de la maladie, ils la refoulent de leur conscient et de leur organisme. Cela confère une grande force, peut entraîner un rétablissement ou, en tout cas, retarder le processus d'extension de la maladie. Donner une chance à un combat de longue durée.

7 décembre 2005

Cette même question revient dans une conversation avec mon père : aurais-je préféré que c'en soit alors fini ? Non. Je réponds sans une hésitation. Ainsi donc, il me faut avoir raison de ma propre souffrance. Me relever une fois encore. Ne pas m'enliser dans le désespoir. Me relever, batailler pour moi-même. Que ressent Agata ? Où est Agata ? Elle n'est pas là. *Décris comment elle n'est pas là. Décris le deuil d'une vie qui dure.*

Qui est-il, celui qui est ? Il n'est pas lui-même et, dans une faible mesure, il est lui-même, car la maladie le met dans l'impossibilité d'exercer pouvoir et contrôle. Il est sa variante, son ombre, la réfutation de son ombre. Que n'est-il pas ? Soutien, partenaire, amant. Je suis restée seule. Non seulement seule, mais encore comme son unique protectrice, l'unique responsable de l'enfant qu'il est devenu. Avant, je me permettais d'être une petite fille auprès de lui. J'ai grandi. J'ai vite grandi.

9 décembre, mauvaise nuit, H. crie, torture. Sans sommeil. Je pars au travail, écrire dans une cellule universitaire, autrement je ne puis me concentrer. La solitude de la bibliothèque doit me donner la vie. Neige. Brusquement enfermée dans un cadre blanc. Où sont les limites de l'épreuve, où trouvons-nous l'horizon ? Nous aurons survécu jusqu'à la fin de l'année, 2005 s'en va. Un an en avril, de neige à neige. Silence. Je le veux en moi plus que n'importe quoi.

Un certain moi, une certaine part de moi ne croit pas que c'est arrivé. Que l'ancien H. ne reviendra pas, qu'il ne me serrera pas dans ses bras comme avant, ne me sauvera pas. Qu'il ne saura pas toujours mieux que moi, ne décidera pas ce que je vais manger au restaurant thaï, ou dans quel musée nous irons et ce qui me plaira là-bas. Qu'il ne choisira pas un passage tiré de Dygat [1] pour accompagner le café du matin, ne se querellera pas avec un collègue au sujet de la politique d'Israël. Qu'il ne se remettra pas à porter ses vêtements de marque coûteux et qu'il ne sera pas l'âme de nos assemblées, le roi de la vie. Car enfin, un seul miracle a eu lieu.

Après l'explosion, quelle forme retrouve le monde ?

1. Stanislaw Dygat (1914-1978) : nouvelliste et romancier polonais issu d'une famille française.

Depuis qu'il s'affaiblit (mi-décembre), depuis que chutes et pertes d'équilibre se répètent, j'agis autrement avec lui. En outre, il crie moins, il se querelle moins. J'ai peur de le perdre. De le perdre à chaque instant où je ne suis pas à ses côtés. Nouvelle vague de grande tendresse pour lui. Je sors moins, je reviens plus vite, je m'efforce autant que possible de profiter de chaque instant commun. Pour la proximité, pour des poèmes, pour des conversations.

H. croit-il effectivement à son salut ? N'a-t-il pas peur ? En préparant l'été et du ski en Suisse l'année prochaine, y croit-il réellement ? Et si non, quels chemins empruntent ses pensées, comment ses rêves leur donnent-ils forme ? Lui, réaliste et cynique, le voilà soudain visionnaire romantique, idéaliste dans les nuages. Pour qui ? Pour moi, ou peut-être pour lui-même ?

Je garde le silence. Parfois, lorsqu'il parle ainsi je pleure. Il ne le voit pas, ou bien il feint de ne pas le voir. Est-ce le manque de foi qui en est la cause ou cela résulte-t-il des propos des médecins ? Pourquoi les écouter maintenant alors qu'ils se sont déjà trompés tant de fois en ce qui concerne H. ? Je vis dans un nuage gris, dans le chaos, dans la peur. Lui, il semble ne prendre en considération d'autre possibilité que celle de vivre. Devrais-je l'imiter ? J'ai peur de vivre une nouvelle fois sa mort, comme en mai. Il ne se souvient pas. Je ne me suis pas permis de le noter. Est-ce la raison pour laquelle il vit, est-ce mon obstination ou sa force, ou notre commun désespoir ? L'heure n'est pas encore venue. Ne nous laissons pas encore nous priver l'un de l'autre.

En 1957, son père a fait une hémorragie. Disparu, l'homme élégant qu'il avait connu, fonctionnaire de haut rang rapportant de ses voyages à l'étranger, pour son épouse, du parfum *Soir de Paris*. Surgit alors un homme mal rasé, insupportable, pénible, qu'on avait peine à comprendre. Tu as commencé à avoir honte de lui. Il n'écoutait plus les chansons des Chœurs de l'Armée Rouge et ne récitait plus Tuwim. Son corps lui refusait de plus en plus souvent tout service. Il perdit la maîtrise de ses fonctions physiologiques. Il a vécu ainsi pendant vingt ans.

Lorsque cela avait commencé tu étais en cinquième. A la maison régnait le culte de la maladie et du secret. Il n'était pas permis de parler fort ni d'inviter des camarades pour écouter des disques. Tu te sentais cerné. Lorsque tu es toi-même tombé malade tu t'es juré d'être malade autrement. A vrai dire, tu ne te permets pas d'être malade. Tu contestes les statistiques. Il n'y aura ni silence, ni pleurnicheries, ni faiblesse. Pas de tarif réduit.

Ainsi parlais-tu avant l'opération et ainsi parles-tu aujourd'hui. Tu essaies.

Les médecins font tout ce qui est en leur pouvoir, mais ce n'est pas assez. Je dois m'appliquer moi-même, respecter les sentiments des autres – ceux des enfants, les tiens, ceux des amis. En vérité je m'y investis beaucoup. Je me suis souvenu de ce fardeau de mon enfance, immérité, une torture.

H. ne s'est jamais rendu. Même quand on voulait le soumettre, quand les médecins ne laissaient aucun espoir. *(Il faut prendre congé de lui, il ne souffre pas, il s'en ira en paix.)* Mon affaire, c'était alors d'épouser son combat. De décider de l'action pour lui. Je sais que s'il avait pu c'est justement ce qu'il aurait fait. Dès lors que subsistait l'ombre d'une chance. Lorsqu'il était conscient il avait lutté. Il n'avait pas capitulé, ne s'était pas plaint. Et il en est encore ainsi aujourd'hui, bien qu'il ait fallu changer la chimio, qu'il ait fallu reconnaître que le nouvel examen de la tête montre un développement de la tumeur. L'espoir se maintient, il trouve la force dans la parole, il console chacun autour de lui, persuade chacun que son heure n'est pas encore venue. Qu'il est fort, qu'il est bien-portant, qu'il ne capitule pas. Pas devant ça.

Depuis le 17 décembre, évanouissements, chutes, pertes de conscience momentanées. La panique est revenue. Je ne le rendrai pas. Je ne capitule pas.

Le 23 décembre, à la veille de Noël, nous partons au ski. H. avait projeté cela. Il nous oblige donc à partir, moi et ses fils. Malgré l'opposition du monde entier, des médecins, des thérapeutes, des amis, il se fait conduire à Saint Louis. C'est le domaine skiable le plus proche aux environs de Toronto, à une heure de route vers le nord. J'ignorais alors que le créateur de cette station de sports d'hiver était un skieur autrichien dont le cancer du cerveau avait connu une rémission. Le concepteur de l'un des domaines skiables les plus populaires de la province de l'Ontario.

Mauvais temps. *Remettons ça,* ai-je demandé. Pas question, la décision a été prise. Conduite épuisante sous des trombes d'eau. Route glissante. Il a vacillé sur le chemin du parking au vestiaire.

Les skis. D'abord les lourdes chaussures, la machinerie des fermetures sur les pieds enflés. Manque d'équilibre pour franchir quelques mètres, difficultés de coordination. *Non, laisse-moi, ne m'aide pas.* Il me repousse. Il boucle ses chaussures, vertige, il s'assied, parvient à fermer sa combinaison, se relève, se retient au mur. Comment réussira-t-il à marcher avec ce poids, comment accédera-t-il au télésiège, comment est-il possible qu'il tienne sur ses planches ? Il n'a aucune chance. Respiration sifflante, difficile.

Je me rappelle sa belle silhouette sur la pente, à Crans, quand nous dévalions le glacier à l'aveuglette, ivres de vitesse et de nous-mêmes. Dans cette blancheur et à cette vitesse nous étions tout-puissants et heureux comme des enfants. La première fois, il y a douze ans.

Un si long chemin pour arriver aux sièges, tant de petites embûches, s'asseoir en marche. Une jambe se replie, un ski. Le siège s'arrête. Il ne veut pas qu'on l'aide. Et il lui faut l'accepter. Nous sommes assis. Il y a six mois, il se mourait au service de cancérologie. Il regarde les sapins dans la pluie cinglante. Mais il faut encore descendre du siège. Ne pas perdre l'équilibre. Tenir debout.

Il se tient debout au sommet. Il n'attend pas. Il file. Les jambes un peu trop raides. Il file. Il tombe. Reste étendu. Je descends jusqu'à lui. L'aide à se relever. Pénible. Quelqu'un d'autre l'aide. Il se relève. File de nouveau. Tout schuss vers le bas. Jusqu'à la chute suivante. Et ainsi plusieurs fois. Je croise les doigts. Je regarde. Je pleure. De peur, et puis de bonheur. Il a fait toute la descente.

Fier. Épuisé. Exercice de la perte. De l'humilité. Du courage.

Sur le chemin du retour il a dit aux enfants qui étaient avec nous que tout le mérite me revenait. *Grâce à elle, vous avez un père. C'est pour vous qu'elle l'a sauvé.*

Le soir, il a expédié ses photos du ski partout dans le monde. Aux amis de Pologne, aux amis de Suède, de France, d'Amérique. Aux amis de Toronto. Aux médecins, avec ses remerciements pour leur sollicitude et cette question : y a-t-il un seul patient avec un glioblastome qui soit jamais revenu sur les pistes six mois après l'opération, la chimio, les rayons ? Il était si fier de lui. Et de plus en plus faible.

Coda 1 : les mots. Confusion et impuissance des mots dès lors que c'était arrivé. Grandes lamentations. Et pour finir, l'ancienne croyance (la certitude) que les mots nous sauvent, que nous reviendrons à nous-mêmes par les mots comme par des chemins, des escaliers, pas à pas. Par les mots, sans lesquels aucun de nous n'est lui-même. Par les mots de consolation, de désespoir, par les mots comme par des rayons de lumière. En nous-mêmes.

Que fait-il depuis que son état physique le lui permet ? Où est-il d'abord allé quand il a réussi à se lever, à tenir debout, à faire ses premiers pas ? A marcher. A son ordinateur. Écrire. Au travail. Aux mots. Quotidiennement, laborieusement, il a écrit son livre, l'évocation de sa vie. Il avait le souffle court, le livre n'est donc pas ce qu'il aurait pu être s'il avait été commencé plus tôt. Mais il est là. Ensuite il était revenu aux traductions, il était plus à l'aise avec les petites choses plus faciles à appréhender : des poèmes de Leonard Cohen à partir de l'anglais, de Karel Kryl à partir du tchèque. Il nous les lisait plus tard, le soir.

Coda 2 : la promesse. Qu'il ne capitulera pas, qu'il luttera, qu'il se battra, qu'il bataillera et vaincra. Sa force et sa conviction que ce n'est qu'une gêne physique, qu'il a surmonté – que nous avons surmonté – des faiblesses bien pires. Nous avons franchi des obstacles. Il nous a tous convaincus qu'à force de volonté il réussira à venir à bout de cette maladie. Il promet. L'hiver nous irons au ski. Et le 23 décembre, effectivement, il a descendu une piste. Un leitmotiv qui revient. Alors qu'il ne pouvait se lever, alors qu'il était incapable de se redresser, d'aller aux toilettes, alors qu'il apprenait à marcher et tenait à peine sur ses jambes, il ne renonçait pas. Jamais il n'a renoncé. Les thérapeutes de l'hôpital lui conseillaient de se tenir dans la position du skieur. *Tu skiais, tu te souviens?* Il se fâchait parce qu'elles utilisaient le passé. *Je skierai encore.* Nous avions un sourire indulgent.

Couches, débarbouillage, friction, changement de draps, ascenseur pour le transport du corps inerte jusqu'à la gigantesque baignoire. De là au ski, le chemin paraissait impossible. Chemin symbolique. Quoi qu'il puisse arriver, lui il avait déjà triomphé.

Il a triomphé de la montagne. Comme il l'avait promis auparavant, avant l'opération. *Je ne fais pas cela pour battre des records,* dit-il. *Je considère cela comme un pas de plus vers le retour à la vie normale, la vie d'avant la maladie. Récupérer des bribes. Avec ardeur. J'essaie. J'essaie toujours. Jamais je n'ai dit que quelque chose, quoi que ce soit, est impossible.*

Il est fort. Et son rôle c'est la force. C'est ce qu'il a imaginé pour lui-même. Ascension solitaire. Il y a un an.

Que cette année s'achève donc. Je me sens tellement épuisée que je ne crois pas au salut. Je me sens vieille et laide. Inutile.

Nuit de la Saint-Sylvestre avec des amis – l'héritage essentiel de la maladie : les amis. J'ai mis une robe décolletée dans le dos et il m'a été agréable de plaire. Je n'avais plus souvenir de ce sentiment depuis des mois. J'étais en confiance, et aussi bien que je ne me rappelle plus quand. H. était avec nous. Insupportable, impatient, avec une grande chemise en soie bleu marine et des chaussures qui lui allaient mal. Mais il était là. Il s'est endormi avant minuit et s'est réveillé pour le toast. Nous avons trinqué à la vie. Et voilà le Nouvel An.

Fraternité de la maladie, dans le pressentiment de la mort.

L'homme doit avoir ce qu'il faut de forces, dit Maria Brandys, veuve de Kazimierz, l'écrivain que nous aimions tous les deux, femme d'expérience et faussement optimiste contre nature. Elle a su donner tant de force à son homme qu'il n'est pas allé au ghetto et que, dans Varsovie occupée, il était capable de se distraire comme avant la guerre dans les banquets. Ils ont vécu ensemble plus d'un demi-siècle, le stalinisme et l'émigration, l'opprobre de la Pologne communiste et l'exil. Dans les années parisiennes de la fin elle est redevenue l'héroïne de sa romance, comme aux temps du lycée quand il la raccompagnait du regard après les cours ou en sortant de la pâtisserie Blikle. Ce qu'il faut de forces. Puis-je être certaine d'avoir ces forces-là ? Tant que cela ? Assez ?

Le 1er janvier, je pense que nous avons commencé une nouvelle année. En dépit des prévisions et des prédictions, en dépit des crises et du désespoir. Il est pénible. Je sais pourquoi et je le comprends. Je sais combien il se sent rabaissé et humilié par la maladie et je le comprends. Il crie car tout a échappé à son contrôle.

L'imaginaire du monde antique a fait le plus souvent de la maladie un instrument de la colère des dieux. En quoi les avons-nous fâchés ? Par l'orgueil ?

H. ne s'en ira pas à l'improviste. Plus maintenant. En mai, c'est par miracle qu'alors nous n'avons pas été vaincus. Mais la mort est suspendue au-dessus de nous et ne quitte ni notre maison ni nos pensées. H. n'en parle jamais. Au contraire, il ignore toute manifestation de faiblesse, il planifie, assure, promet. *Je vais vivre. Ils ne m'auront pas si facilement. Nous allons vivre.*

Lorsque ces paroles me font pleurer, les amis me demandent si je préférerais qu'il déprime, des plaintes, des larmes, le sentiment du désastre. Non. Non.

Le monde retrouvera-t-il jamais un sens ?

Lorsqu'il m'émeut, j'oublie instantanément son cri, ses recommandations, ses ordres, ses besoins, ses exigences incessants. Je sens que notre combat peut s'avérer perdu et je ne puis, je ne puis m'y résigner. Bientôt, nouvelle visite au Princess Margaret, pour la première fois depuis juillet j'ai peur des résultats de l'IRM (la résonance magnétique).

La maladie mortelle a toujours été considérée comme une jauge du caractère moral. *La seule chose que je veuille encore dans la vie,* dit H. en route pour le déjeuner du Nouvel An, *c'est reconstruire et préserver les besoins émotionnels de ma famille, de mon épouse et des enfants.* L'épouse, maintenant, c'est moi, les enfants sont ceux d'une épouse qui est devenue l'épouse d'un autre.

Janvier 2006

Est-ce que je crois que l'année nouvelle apportera un soulagement ? Non.

Est-ce que je crois que l'héroïsme de H. sera récompensé ? Je le voudrais.

Est-ce que la souffrance a un sens ? Non.

Je t'aime. Je ne t'abandonnerai pas. Les mots étranglent.

Je ne sais plus écrire de poèmes. Ils ne viennent plus à moi. Et jamais plus je ne tombe sur les prés où ils paissaient avant. Ou dans les taillis où ils se cachaient.

Tu étais l'homme le plus impatient que j'aie connu et le plus patient dans le travail sur les mots. Comme ta mère, tu étais un rédacteur-né. Tu consacrais énormément d'attention et de réflexion aux expressions, aux phrases, aux alinéas, tu connaissais leurs relations, leurs faiblesses, leurs généalogies. Tu sculptais les textes (les tiens et ceux d'autrui) avec courage et dévouement. Je suis sûre que si tu n'avais pas quitté le pays tu aurais été écrivain. Reconstruire une vie, la nécessité de gagner de l'argent, d'entretenir une famille, ensuite, t'ont mis dans l'impossibilité de te consacrer à ce que tu désirais le plus. Je ne m'étais pas rendu compte à quel point, jusqu'à ce que je lise les centaines de lettres que tu as insérées dans le forum des émigrants de Mars sur internet. Tu avais une plume inégalable. Et moi j'ai bénéficié de ton talent rédactionnel. En quinze ans, ce sera mon premier livre que tu n'as pas encore lu.

Parking souterrain de l'hôpital Princess Margaret.
Un pigeon. Recroquevillé, rabougri, tout collé.
Seul.
Chaque mois plus léger, jusqu'à la fin.
Il a cessé d'être plus tôt que toi.

Donald Hall, ancien de la prestigieuse université de Harvard, poète couronné et éditeur réputé, il enseignait à l'université du Michigan lorsque la jeune poétesse Jane Kenyon y étudiait la littérature. Il avait presque vingt ans de plus qu'elle. Ils se marièrent pratiquement sur-le-champ et, avec le temps, s'installèrent dans la ferme des grands-parents de Donald, à Wilmot, dans le New Hampshire.

Heureuse chemise / car elle effleure ta nuque et ton dos / et va plus loin / au-dessous de la ceinture, lui a-t-elle écrit.

C'est d'abord lui qui est tombé malade. Diagnostic en 1989, opération, métastase. En 1992 nouvelle opération, chimio. Une chance sur trois qu'il survive cinq ans. Mais on a réussi à maîtriser sa tumeur. Le diagnostic de Jane est venu deux ans plus tard. Elle a été malade (seulement/longuement) quinze mois. La leucémie a été particulièrement impitoyable avec elle. Mais pendant tout ce temps elle s'éveillait et s'endormait à ses côtés – *encore dans son corps à elle.*

Opération, rayons, chimio, perte, perte, pertes.

L'étendue de cette souffrance me dépasse. Douleur. Impossibilité de l'apaiser. Jane était une héroïne. Chauve, déchirée par la douleur, indomptable. Et vaine. Je me révolte contre un combat condamné d'avance au désastre.

Hall écrit : *Nous avons vécu dans une maison de poésie qui était une maison d'amour et de chagrin, la maison de la solitude et de l'art. La maison de la dépression de Jane, de mon cancer et de sa leucémie.*

Je les vois tous les deux assis sur le sofa, se tenant la main, en silence. Ils savent que demain ce sera peut-être impossible. *La mort n'est qu'une séparation,* répétait-elle.

Ensemble, encore, ils avaient rédigé la nécrologie de Jane, ils avaient encore préparé des poèmes pour un volume posthume, ils avaient organisé les funérailles. Le jour où elle est morte il n'a pas su qu'elle mourait... Elle avait cessé de parler. Il surveillait attentivement sa respiration. Elle se taisait, absorbée par son propre départ. *Tu grandis en moi, mon âme céleste,* lui avait-il écrit.

Il a fermé ses yeux bruns de ses propres mains.

N'aie pas peur, lui avait-elle répondu, *Dieu ne nous laissera pas sans apaisement...*

Je vois le pays de la maladie comme un pays dépourvu de saisons, sans signes extérieurs. Sans fenêtres, sans neige, sans feuilles. Seules les règles de l'horloge de la maladie y sont en vigueur. Parfois le soleil luit à la surface du jour, puis se brise au contact de la douleur. Se noie. Il arrive qu'il ondule dans un rêve.

Hall et Kenyon ont appris les étapes successives de la perte – des forces, du corps, de l'espoir. Et moi aussi je les apprends. *Je t'aime, nous nous aimons, en toi j'ai l'enfant auquel je n'ai jamais donné le jour.*

Les frontières du temps sont différentes aussi au pays de la maladie. Les saisons mesurent ses progrès (sa régression). Première opération, deuxième opération, crise, radiothérapie, crise, première chimio. Comme il s'est vite éloigné le monde normal, duquel nous avons été déportés dans le monde de la maladie. Comme celui-ci, marqué par la panique et la douleur, a facilement assimilé les fonctions du premier. Et déjà ses seules règles s'imposent. Rien d'autre n'a de sens. Questions à régler, factures impayées, chemises dans l'armoire, chaussures, restes de repas dans le réfrigérateur, lettres, fragments d'un destin inachevé. Rien de la réalité d'avant, indispensable il y a peu, et unique, n'est plus nécessaire. Rien. Vêtements, tableaux, valises, chèques, papiers, même les livres, les voyages, les objets, les collections. Lui seul, tailladé, balafré dans un lit d'hôpital, les draps, l'oreiller, quelqu'un qui lui caresse la tête. Rien d'autre ne compte, rien.

Pour la terre entière il fallait passer à une langue étrangère. La maladie de H. se déroule en anglais. Il m'a fallu changer non seulement de lieu mais encore de vocabulaire. Passer au vocabulaire ultime, au vocabulaire de la maladie et de la mort. A deux reprises, nouveaux substantifs et verbes, adjectifs et adverbes ultimes se sont entrechoqués en moi.

Roueries de la langue. En anglais, nombre de mots ont pour moi davantage de sens caché. Mais peut-être seulement ces mots qui me concernent ces temps-ci ? Que signifie se souvenir ?

To re-member the dead – se rappeler les morts – *is to reassemble them after bodily decomposition* – c'est les réassembler après leur destruction, la putréfaction du corps – *so repairing the threat to society* – c'est comme de ravauder, de combler un fragment de canevas que la mort a détruit – *posed by the death of one of its members* – restituer la part qu'ils prennent à la destinée, leur rendre leur humaine nature. Rapiécer par le souvenir le vide qu'a laissé l'absent. Je décompose en syllabes... Poésie du dictionnaire phraséologique.

Response-ability, responsability – responsabilité. Possibilité, aptitude, talent, capacité de réponse de la coexistence. Qui nous l'enseigne, et quand ? Que signifie-t-elle et en quelles circonstances acquiert-elle un sens ? On pouvait toujours compter sur H., en toute circonstance. S'il s'engageait il tenait parole. Nombre d'affaires reposaient sur ses épaules, et le sort de beaucoup de gens. Ce sont eux qui nous permettent aujourd'hui de nous appuyer sur eux.

Le 4 janvier 2006, visite à l'hôpital. Je n'ai pas eu à regarder les résultats des radios, j'ai senti, j'ai su que quelque chose changeait. La tumeur ne dort pas, le poison moderne a cessé d'agir. Le cancer s'étend. Je ne me permets pas de l'exprimer. Par écrit cela effraie tout aussi impitoyablement. Il y a un changement de la taille d'un grain de raisin. (D'où viennent ces absurdes métaphores fruitières ? La première tumeur avait la taille d'une mandarine.) J'ai longtemps regardé cet endroit-là – une excroissance blanche sur l'écran de l'ordinateur. ÇA. J'ai éclaté en sanglots. Vaillante ? Je me suis effondrée. Cela n'aurait plus jamais dû m'arriver. C'est H. qui m'a consolée. Nous savions que ÇA arriverait un jour, mais il y a un nouveau médicament, un autre. Nous allons essayer. Ce n'est pas encore la fin du combat. Nous ne battons pas en retraite. Nous ne nous rendons pas si facilement. Le docteur Mason a certifié qu'il y avait des résultats positifs avec le changement du témozolomide pour la lomustine. Le nouveau médicament est plus puissant que le précédent. Administré une fois toutes les six semaines, il a un délai de réaction plus long. Cela signifie que ses effets seront visibles avec un certain retard.

A la maison j'ai bu trop de cognac. La pensée que ÇA le tuera finalement, si difficile que ce soit avec lui et tellement insupportable, cette pensée me paralyse. Panique. Accès de panique aussi quand il perd conscience, ou seulement l'équilibre, et qu'il s'affaisse sur moi, effrayé. Il ne proteste plus quand je l'aide. Cela se produit de plus en plus fréquemment, parfois à plusieurs reprises au cours de la journée. C'est cette excroissance, ce changement dans le cerveau qui provoque une compression.

Hier, samedi, à la mi-journée il a subi une nouvelle chimio, six fois plus forte. Toute la journée ensemble, en bas, dans sa chambre. Nous étions allongés, nous bavardions, nous lisions. Juste après avoir avalé ses comprimés il m'a lu à haute voix une nouvelle d'Hemingway, *Le vieil homme près du pont*. Il pleurait. Un vieux chat, deux chèvres et un pigeon, c'est tout ce qu'avait le vieil homme. Il était seul dans le vaste monde.

Nous ensemble. Toujours ensemble. Dans la même pièce, dans le même lit (je me hisse sur ce châssis d'hôpital, derrière le haut garde-fou, tout près, au plus près), nous respirons le même air. Il m'a consolée. Il a parlé de la force, du miracle que sont ma présence, la présence des amis et la proximité de l'hôpital qui dispose de la chimio la plus moderne.

Depuis des années nous mélangions les langues. A vrai dire, sans dessein particulier. Sur ce continent nous rapiécions le plus souvent l'anglais. Dans les conversations difficiles aussi. Comme celle-ci.

Il feel safe, secure, in love, happy and grateful. Ainsi parlait-il le jour du nouvel essai.

Being strong, ai-je lu dans un autre ouvrage scientifique, *is an act of self-defence.* La décision, la résolution d'être fort, de ne pas capituler, de combattre est un acte d'autodéfense. Pour moi c'est un grand geste de courage. Un courage dont je connaissais l'existence en lui, mais je n'avais pas eu l'occasion d'en faire l'expérience de façon aussi dramatique. Je l'admire, je l'adore, mais souvent je me sens comme prise au piège lorsque, constamment, il exige, il dirige, il crie. Ça fait mal.

H. dit souvent de lui-même, maintenant, qu'il est une bête malade. Une bonne bête, mais très malade. Il s'efforce d'être utile, il s'efforce aussi de vivre comme avant. Mais c'est une bête très, très malade. Parfois il plaisante : sa place est à la poubelle, dans la poubelle du tri sélectif au garage. Une bête malade et sans valeur. Un croisement de raton laveur et de skunk.

Ces paroles me font pleurer.

H. m'a dit hier qu'il vivait grâce à l'amour – pour moi et pour les enfants. Grâce à l'amour. Grâce aux médecins – chirurgiens et oncologues. Grâce à la force – à la volonté de vivre, c'est-à-dire au travail.

Être utile, être productif, c'est-à-dire donner. Il voyait un sens fondamental au fait de donner. Donner, c'est-à-dire multiplier le bien. Le partager. Autrement, à quoi bon vivre ?

Dans les premières semaines de janvier 2006 je continue d'observer la mort. D'abord dans les livres. Parfois à l'écran. Je regarde un documentaire sur la mort à l'hospice Grace de Toronto, celui-là même où les médecins du Princess Margaret voulaient envoyer H. et d'où je me suis enfuie au bout d'une demi-heure de la « visite » que nous avait offerte l'une des directrices. Je savais que H. n'y survivrait pas à la première journée. On sentait la mort. Dans l'odeur et le mouvement de l'air, dans les coins et les recoins, sous les lits et dans les lourds relents douceâtres de la sueur, de la maladie, de l'impuissance. Jamais là-bas. Personne.

De vieilles femmes, apeurées et silencieuses, meurent sous mes yeux, paralysées par la maladie, à demi absentes, les yeux et la bouche creusés de plus en plus profond. Elles disent encore quelque chose de la peur et de l'ultime. Elles laissent encore les vivants effleurer leurs visages et leurs mains... Elles s'en vont sous nos yeux, prennent congé d'un monde qui leur fut docile pendant des années. De moins en moins nombreuses. De plus en plus de souffles cireux.

J'ai arrêté de regarder au bout de même pas une heure. La mort à l'hôpital Grace me fait mal, bien que ceux qui s'en vont me soient étrangers, étrangers leurs destins et leurs corps. Vieux, plus légers qu'un souffle, privés de dents et d'illusions. Effleurés par la mort, ils me paraissent lépreux. J'aurais eu peur que H. fût contaminé par la laideur de leur ultime voyage.

Ces morts-là ne m'inspirent nulle tendresse.

Plusieurs personnes m'ont demandé pourquoi je regarde ce documentaire. Je l'ignore. Nouvel acte d'auto-mortification. Un psychiatre assure que, pour moi, c'est caractéristique. A côté de la dualité des aspirations et des compulsions déléguées. J'appelle à l'aide et je m'obstine : je m'en tirerai toute seule. Je veux me détendre et suis incapable de quitter la maison pour deux heures. Il semble que je n'aie nul besoin de salut, je veux descendre encore et connaître le fond du désespoir. J'ignore pourquoi. *Tu dis que la vie sans lui est finie et tu ne résistes pas à la pression de la cohabitation dans ces conditions. Tu es la contradiction même.*

Le film *After Life* (« Après la vie ») du cinéaste japonais Kore-Eda Hirokazu, je l'ai vu deux fois. Pour la deuxième fois avec le même résultat – je serais incapable de choisir un unique souvenir, le seul de toute ma vie, avec lequel il me faudrait passer l'éternité. Or c'est la tâche des héros de ce film.

H. n'en serait pas capable non plus. Nous en avons parlé. Peut-être la première rencontre à New York ou bien la première nuit. Une soirée de neige en hiver devant une cheminée à Montréal, ou bien nos promenades de plusieurs heures sur le sable à Seabrook. La descente du glacier de Plaine Morte d'où l'on voit la moitié du monde. Une réflexion en commun devant un texte, une plage au Mexique, un lever de soleil sur le désert du Nevada, la première image de La Havane. Je suis incapable de choisir une seule et unique conversation.

Nous sommes dans un bureau, le quotidien bureaucratique des employés et de leurs visiteurs. Différents personnages entrent, jeunes, âge mûr, vieux. Ils prennent place devant les bureaux. Chacun à part avec son propre fonctionnaire. Ils sont courtoisement et objectivement informés qu'ils sont morts la veille. Qu'ils vont rester ici une semaine et que leur tâche sera de choisir le souvenir le plus important de toute leur vie. Ils ont le temps de la réflexion. Ils ont accès à la documentation et disposent d'une assistance scientifique, par exemple d'un assortiment de bandes vidéo où se trouve enregistrée la succession des jours, des mois, des années qui furent les leurs. Des bibliothèques de la destinée. Il s'agit d'un seul, d'un seul et unique souvenir, le plus cher, le plus significatif, le plus important, car c'est avec lui qu'ils vont s'en aller dans l'éternité, à jamais.

Les employés du Ciel, ou peut-être du Purgatoire, sont ceux qui ont été incapables d'effectuer un choix. Ils resteront ici tant qu'ils ne se seront pas décidés pour un souvenir. Alors, seulement, ils pourront partir. En attendant, ils aident les autres à prendre une décision, ils organisent des présentations de souvenirs et le visionnage hebdomadaire des fragments de vie exposés. Les autres défunts examinent ce que leurs compagnons d'infortune ont décidé de perpétuer.

La pérennité, la présence constante dans la réalité, éternelle, d'un seul événement, annule tous les autres. Même quelques-uns tout aussi chers. Je resterais à jamais dans le service du choix inaccompli. D'autant que cela me permettrait d'être avec des gens, de leur tenir la main, à eux comme à leurs souvenirs. De glisser des idées. De conseiller. Tu resteras pour l'éternité avec cette image, dans cette image, comme dans un petit morceau d'ambre où s'est arrêté le temps. Le choix d'un lever de soleil sur l'océan ôte toute force au suivant, ou bien à la tendresse dans les montagnes ou aux amours printanières.

Je ne veux pas choisir.

Il le faut. Ce sont les règles du jeu.

Je te choisis, toi.

Janvier n'est pas très froid. Aujourd'hui j'ai senti le soleil et le parfum de l'air. Il y a de l'air, je marche, je peux aller droit devant moi. Dans le ghetto ce n'était pas possible. Je suis rassasiée, hier H. m'a emmenée au restaurant manger du homard. Dans le quartier clos de l'occupation nous n'aurions pas pu en rêver. Nous avons joué nos anciens rôles, lui de protecteur, moi de celle dont il faut s'occuper. J'ai fermé les yeux sur toutes les faiblesses de notre projet. Sur le fait que mon homme n'a plus la prestance de naguère, qu'il ne porte plus ses élégants vestons ni de cravate, qu'il trébuche et ne voit pas le menu, que son âme est mutilée elle aussi, comme son corps.

Dans le ghetto j'aurais rêvé que lorsque nous réussirions à en sortir nous irions nous promener, au bord du fleuve, en forêt. J'aurais su que nous allions réussir. J'y aurais cru. Maintenant je sais que le miracle a eu lieu, H. a survécu à sa mort et j'y ai survécu moi aussi. Nous n'avons pas d'avenir. Nous n'existons plus nous-mêmes tels que nous étions avant le verdict. Nous sommes différents. La tête de H. fendue à deux reprises n'éprouvera plus jamais ce qu'elle éprouvait il y a des années. Henryk n'est plus. Il y a un Henryk. Pas celui-là.

Le miracle qui a épargné sa vie a donné naissance à un autre homme qui lui ressemble seulement. Parfois davantage, parfois moins. Physiquement aussi. Les corticoïdes provoquent un appétit de loup – saucisses, jambon, sucreries, pâtisseries, tu engloutirais tout. Il a un autre visage, un autre corps. Dans les meilleurs moments ces mêmes yeux perçants, ce même sens de l'humour.

Nous avons beaucoup ri ensemble. Des mêmes plaisanteries, de situations et de contextes semblables. Nous répétions constamment des contes humoristiques de Stefania Grodzienska (*Que ferais-tu si je mourais ?* – ça, c'est moi ; lui, c'était au sujet d'une côtelette), des textes de chansonniers des années trente, de Tuwim, de Hemar, plus tard de Minkiewicz, nous vénérions tous deux Woody Allen. On ne s'ennuyait jamais ensemble. Aux moments les plus inattendus une sorte de feu follet jaillissait entre nous, le rire nous désarmait. Il faisait fi de tous les signes d'avertissement.

Dans les restaurants nous nous amusions à deviner les professions des occupants des tables voisines, ensuite nous engagions la conversation avec eux. Là, il n'avait pas son pareil. J'admirais son efficacité à reconnaître les médecins, il les distinguait des avocats et des commerciaux. Il avait un esprit inventif inépuisable pour imaginer leurs biographies supposées. Souvent nous buvions un dernier verre avec eux, et lui, à ma demande, leur racontait nos plaisanteries sur les veuves juives de Floride et leurs fils.

Tu te souvenais des pardessus de demi-saison du grand magasin PDT de Varsovie et des costumes en velours côtelé aux pantalons pattes-d'éléphant, mais ce qui te fascinait le plus dans la Pologne de l'époque c'étaient les fripes américaines qu'on trouvait au marché aux puces. Tu les appelais les fripes du pays bourgeois des doryphores[1]. Tu étais capable de débiter de longues tirades sur les chaussettes de Leopold Tyrmand. Tu parlais de ses écrits avec la même érudition. A l'époque tu étais capable de traverser toute la Pologne pour aller chercher à Kurow, près de Lublin, une peau de mouton à la mode (tu avais alors vingt ans et tu en as parlé pendant les vingt années suivantes, la peau puait épouvantablement), les vestes et les mocassins en daim te fascinaient.

Plus tard ta connaissance des secrets de la mode et du style t'a aidé à deviner les gens. De même, tu savais lire leurs goûts pour tout ce qui est motorisé.

Tu méprisais ma connaissance des voitures, toi le connaisseur des plus infimes détails de l'histoire, de la fabrication et de la ligne des Isetta, des Bugatti, des Ferrari et des Porsche (une liste sans fin), de la Syrena polonaise aussi, avec son moteur de motopompe des soldats du feu, de la Mikrus et de la populaire DKW (D comme *dykta*, contreplaqué ; K comme *klej*, colle ; W comme *woda*, eau). Pour moi, ce qui distinguait les voitures c'était la couleur. J'aimais le rouge (!). Cela aussi c'était un sujet de plaisanteries faciles.

1. A l'époque stalinienne, la propagande anti-capitaliste accusait les Etats-Unis de survoler les champs des pays socialistes, la nuit, et de les asperger de doryphores qui détruisaient les pommes de terre.

Mary a tenté de faire en sorte que je me résigne à la mort. Elle m'a conseillé de m'informer du cimetière et de l'enterrement, de la cérémonie funèbre et du rabbin, de la tenue et des coûts. Du kaddish et du *minyan*[1]. J'ai fait tout cela dans la première semaine de février. Aucun soulagement. Mais j'ai cessé de penser que cela arriverait demain.

H. vit et moi j'apprends la mort. J'étudie la mort, ses diverses façons de nous effleurer, de se manifester, la variété des circonstances. J'observe les ravages qu'elle entraîne. Et ensuite j'apprends auprès du Père Tischner que le terme « ravage » est une clef pour éprouver l'absence, le vide actif, agressif de la mort. Je tourne sous ma langue des mots que j'y associe et m'en délecte : vide, désert, inhabité, abandonné, délaissé.

Deviendrons-nous un jour une même pierre? ai-je demandé après Edmond Jabès, poète contemporain de Camus et de Sartre, mystique juif et kabbaliste, auteur du *Livre des questions.* On nous a frappés avec la pierre, on posera une pierre sur notre tombe comme un signe du souvenir. *Du verbe, barque ou pierre,* ai-je écrit un jour dans un de mes poèmes. La pierre peut nous garder en elle, nous figer, nous immortaliser. Comme l'ambre.

---

1. Une assemblée de prière d'au moins dix hommes. Le *minyan* traduit l'importance que le judaïsme accorde à la notion de communauté. Selon un proverbe yiddish, « si neuf rabbins ne font pas un *minyan*, dix cordonniers en font un ».

Le professeur américain de psychologie Lisl Goodman s'efforce d'engager à apprivoiser la mort. Jamais je n'y avais songé auparavant. Jamais je ne l'avais tenté. *Si on se familiarisait avec la mort,* explique-t-elle, *comme avec un membre de sa propre famille, il serait plus facile de la considérer comme le couronnement naturel du destin, une sorte de récompense pour un effort de plusieurs années. Le dernier accord.*

Apprivoiser la mort, et donc apprivoiser quoi ? La nécessité du départ, l'inéluctabilité des séparations, la souffrance quotidienne qui accompagne cette pensée ? La mort et la peur face à la mort sont généralement décrites dans leur rapport avec Dieu, avec les autres et avec soi-même. Cette dernière peur est la plus éprouvante. La majorité des gens s'efforcent de l'étouffer, de la réduire à néant. De l'effacer en eux-mêmes. De la rayer.

Il s'agit de la peur face à l'inconnu, c'est pourquoi il est si difficile d'en avoir raison. Elle échappe à tout contrôle, or H. voulait toujours tout contrôler.

Comment H. a-t-il peur ? Jamais nous n'en avons parlé. Nous ne nous sommes pas rencontrés dans la peur. Nous sommes à côté, parallèlement. Nous nous épargnons. Nous sommes effrayés.

Goodman a réalisé environ sept cents entretiens sur la mort, ils ont constitué la base de son livre le plus connu, *Death and the Creative Life* (« La mort et la vie créatrice »). Elle s'est entretenue avec toutes sortes de gens, cultivés et illettrés, des artistes et des scientifiques, des étudiants, des femmes au foyer, des informaticiens. Les professions n'ont pas d'importance. Elle est parvenue à une conclusion sans équivoque.

Les gens n'ont pas peur de la mort – elle cite en exergue la phrase d'un homme de trente ans mourant de leucémie –, *ils appréhendent le départ car ils considèrent leur vie comme inaccomplie. Ils ne veulent pas s'en aller parce qu'ils n'ont pas fini de vivre.*

Qu'est-ce que cela voudrait dire ? A quelque étape que ce soit, la vie peut-elle jamais sembler complète ?

Je ne crains pas le non-être. Je songe sans frayeur à l'émancipation des charges terrestres. Landes parfumées ou vent chaud venu du lac. Je disparaîtrai là-bas. Mais il est difficile de se faire à l'idée que nous avons trop peu donné aux autres. Que notre destin était sans intérêt, insignifiant.

Nous avons peur de n'avoir pas eu le temps de laisser une trace nette, de n'avoir pas assez aimé, créé, joué, de n'avoir pas encore tout essayé, de n'avoir pas tenté, pas assez. Pas à fond. Y a-t-il un moment approprié pour s'en aller ? Peut-on se rassasier de la vie, la vivre jusqu'au bout, à s'en dégoûter, à en être las, au point de penser abandonner le quotidien terrestre avec soulagement ?

H. voulait écrire, écrire c'est ce qu'il voulait le plus. Que nous restait-il encore, comment pouvons-nous leurrer le temps pour se donner à soi-même l'illusion de la plénitude ? Excursion au bord de l'eau, pique-nique chez des amis, dîner dans un restaurant italien, promenade autour de la maison. Conversation. Toujours la plus importante. H. ne souffre pas. La douleur ne l'effleure pas. Grâce à cela tout est plus facile.

Ai-je peur de la mort ? Comment en ai-je peur ? J'ai tout de même été heureuse, déjà, je connais tout de même le ravissement face au monde et la nostalgie qui paralyse, les réalisations de tous ordres, le chatoyant plaisir. Je connais le goût de la mer et le goût du printemps, le goût de la pluie et du lupin, le goût de l'autre corps. Je ne crains pas de laisser tout cela. Sauf toi. Or toi, tu es déjà loin.

Lectures sur le mécanisme de la peur. Les scientifiques connaissent déjà les structures neuronales et les processus qui participent à l'élaboration et au stockage des informations liées à la peur. Le rôle décisif est joué ici par ce qu'on appelle le corps amygdalien. L'évaluation émotionnelle, elle, s'opère indépendamment de la représentation consciente de la situation. Avant qu'un événement quelconque soit clairement et nettement enregistré dans le conscient il est déjà évalué au plan émotionnel. Nous avons peur avant d'en prendre conscience. Avant même le déclenchement perceptible de la panique.

Parfois je voudrais accéder davantage encore en moi-même. Plus profond, comme dans un puits ; plus haut, comme dans une tour. Peu importe, dans les deux cas je suis seule, l'un et l'autre sont des variantes de ce même sentiment d'isolement et de détachement. Ne pas entendre les voix venues du monde, aucune. Je m'enfonce dans la grisaille. Les mots me conduisent plus bas encore au bas de l'échelle. Là où il n'y a rien.

Un chemin dans un couloir sombre qui se répète au grand jour. Est-ce le même ? Pas de paroles, alors, seulement des pas. Je marche. Sous terre, en rêve ? Je ferme les yeux. Pendant ces secondes-là rien ne me concerne, rien ne m'effleure. Je persévère. Je suis seule derrière la vitre. Contre le verre glissent des mains tendues pour me venir en aide. Blessées par les larmes.

Écris des poèmes
Je n'y arrive pas. Je n'y arrive plus. Les mots sont comme des pierres. Les papillons sont partis. Un filet.

Sans paroles.
Embrasse-moi. Et le soupir de Jane Kenyon : *And no more fucking, no more fucking.* Plus jamais ?

Installe-toi dans le maintenant, dans l'aujourd'hui, en cet instant. Comme s'il était unique, ultime et définitif.

Il n'est pas d'instants comme cela. Cela, tu ne le sais certainement pas.

22 février 2006

Après l'interruption, écrire laborieusement. Je suis allée seule au ski, quelques jours, à Québec. Ma psychiatre disait de ce déplacement qu'il était un présent de H., un cadeau qu'il voulait m'offrir. A vrai dire, elle m'a forcée à l'accepter. A partir, à me détacher du monde clos de la maladie qui me traquait. Je me suis effondrée de plus en plus, de plus en plus profond dans le désespoir et la dépression, dans le cri et les pleurs. Je me suis d'abord effondrée sans me rendre compte des changements et du fait que j'avais touché le fond, j'en ai pris pleinement conscience plus tard. Je pensais me tirer d'affaire. Je pensais qu'il devait en être ainsi. Je pensais être plus forte que je ne le suis.

Je suis partie une semaine à la montagne. H. a survécu. Il voulait survivre, il voulait me prouver qu'il se débrouillait sans moi. Et moi je me suis vautrée dans la neige et dans le sommeil. J'ai respiré au calme, loin du spectre de la mort.

C'est Henryk qui m'a appris à skier. Il m'a montré la première montagne, m'a emmenée sur la première pente et, de plus en plus haut, jusqu'au glacier. Il était exigeant, et ensuite il était fier. J'ai vite été capable d'aborder les descentes les plus raides.

Le ski a toujours été une fête pour nous, depuis le début. En mars, traditionnellement, dans cette même localité suisse de Crans Montana qui lui rappelait Krynica. Un rituel.

J'enfile les chaussures, je fixe mes skis, je me frictionne le visage. H. n'est pas là. Premier télésiège, première descente. Éblouissante. H. n'est pas là. Encore plus haut, par le train à voie étroite. A pic. Vue sur le lac. Transparence. H. n'est pas là. Gros effort pour ne pas l'apercevoir à chaque virage. Sa silhouette. Sa combinaison. Lui. Exercice du retour par la pensée. Il attend certainement au café. Il regarde le slalom à la télévision. Il a commandé du vin chaud.

J'ai appris le silence. Le silence en moi et le silence saupoudré de neige alentour. Tout était blanc et froid. Comme du verre. Le songe soignait, étreignait, réchauffait. Cernée de blanc, je retrouvais l'équilibre.

Je veux déjà revenir vers H. Et il m'est difficile d'entrer dans la maladie. Je crois vraiment que nous tiendrons encore bon. Je crois vraiment, rassasiée de blancheur et de soleil et de force, que nous avons encore du temps. C'est absolument autre chose qu'avant mon départ, quand chacune de ses chutes marquait son ultime chemin.

La Pologne le faisait toujours souffrir. Et il ne pouvait vivre sans elle. A son égard il était toujours juste. L'anniversaire de Mars approche. Il faut y aller. Aucun des médecins ne prendra la responsabilité de ce vol. De cette décision.

Dimanche 5 mars. Des litres de café après une nuit remplie de cauchemars, d'avions qui explosent et de têtes qui explosent. Rêve : le cerveau de H. a explosé. Je veux téléphoner à A. Pour demander du secours. Les téléphones ne fonctionnent pas. Nous sommes en vol. Quelqu'un dit « dans le ciel ». Tension atténuée par la saveur d'un brandy espagnol familier. H. a finalement décidé aujourd'hui du voyage à Varsovie. Il n'écoutera pas les mises en garde des médecins, aucun d'eux ne peut avoir raison alors qu'il doit, lui, concrétiser son rêve. Un rêve? Un ultime vœu? Je l'ignore.

Je ne vais pas rester assis dans le jardin à attendre la mort, dit-il. Et c'est aussi ce que je dirais.

Et pourtant, j'ai de nouveau peur, comme lorsqu'il s'est allongé, à l'hôpital Western, pour sa première ouverture de la tête.

Avec Mary, nombreuses discussions à ce sujet. Elle pense que H. sait ce qu'il fait et qu'il le veut en dépit des éventuelles conséquences. Il connaît les risques de paralysie ou de mort. Il choisit sa voie. Il ne sait pas dire pourquoi il veut y aller. Il le faut. Il veut toucher la terre polonaise, voir notre logement varsovien, s'allonger sur notre lit, rencontrer les camarades de sa cour et de son école. Allumer une cigarette sur le balcon à l'abri du marronnier. Jusqu'à quel point est-il conscient de ce qu'il veut? Jusqu'à quel point le veut-il, puisque ce sont ses ultimes désirs?

Comment puis-je les lui refuser? Comment puis-je les lui permettre, sachant ce que cela implique comme danger? C'est pour cela que nous l'avons sauvé, au péril de sa vie, pour l'exposer à la mort dans un avion à cause des variations de pression? Qui suis-je pour le lui interdire? Qui suis-je pour le conforter dans sa décision? Je le veux vivant. Il est faible, fatigué, abattu, mais il est là. Il vit, il a des projets, parfois il parle au téléphone d'une voix forte, comme si tout cela n'était qu'un rêve. Je sais que ce n'est pas un rêve. Ça n'en est pas un. Et sa promesse de ne pas m'abandonner… Alors, devrais-je déjà m'y préparer, dès maintenant?

Voyage dans les profondeurs avec Mary. Méditation qui doit apporter la réponse à cette question : devrais-je m'envoler avec H. pour la Pologne? Mon paradis personnel : l'océan et la plage, ma maison sur la rive avec fenêtre sur l'eau, un petit bureau et une chaise près de la fenêtre, des photographies. Grand-mère Dela descend de la photo, nous l'appellerons Sarah. Elle est la première qui se montrera à nous et la première qui parlera. M. lui demande si elle est résolue à être mon ange gardien et à ne pas me lâcher d'une semelle, à m'aider et à me conseiller. *Oui.* Une nacelle apparaît encore, mais elle est trop lente, la nacelle se change donc en oiseau. L'oiseau est blanc, il a pour nom *Messenger*, messager. Il y a encore une plume, *pen.*

Interrogée sur le voyage, Sarah dit – je parle pour elle, pour autant que ce soit elle et pour autant que nous nous parlions, chacune présente dans l'autre, elle, la mère de ma mère, ma grand-mère de Leczyca, du ghetto et du secteur aryen, de la cachette et de la lutte, ma grand-mère dit : *Sauve la vie, c'est le devoir le plus important.* Sauver la vie, le salut de la vie, il n'est rien de plus sacré. Tous les moyens sont permis

Ces derniers mois, j'étais fière de toi. Tu as été vaillante. Tu n'as pas capitulé. On ne doit pas ruiner cela maintenant d'un geste enfantin. Oui, il faut rêver. Mais on ne doit pas tuer la vie par un désir imprudent. Tu as arraché son destin avec les ongles, tu l'as sauvé. N'accepte pas que ce soit anéanti pour un geste. Voir Varsovie, toucher la terre, être là-bas. Se persuader qu'il en est capable.

Il a l'impression d'être un héros, qu'il sera un héros mais, selon moi, c'est un mouvement suicidaire. Tu n'as pas le droit de permettre cela.

Sarah était convaincue de ce qu'elle disait.

Est-ce que je la crois ? Est-ce que je crois que je suis parvenue à pénétrer dans les profondeurs et à converser avec ma « sagesse intérieure » ? Je ne sais pas. Quoi ou qui que ce fût, l'envoi était clair. Et j'ai su presque sur-le-champ que je ne l'écouterais pas.

Ce n'est pas ce que je voulais entendre.

Car je veux respecter sa volonté, exaucer son rêve. Je veux lui donner tout ce qu'il désire. Même au prix de la mort ? Non. Je crois vraiment que nous allons réussir. Comme a réussi la résurrection du printemps précédent. Je ne dispose d'aucun indice qui me permette de le croire. Au contraire, tout le monde, médecins et amis, m'en dissuade, me persuade que ça se passera mal, de façon dramatique. Quelque part au plus profond de moi je voudrais ce dernier voyage pour lui. Par amour.

Ma grand-mère de Leczyca, qui a péri d'une balle perdue sur la place du Marché d'Otwock juste à la fin de la guerre, m'a retrouvée sur un autre continent un demi-siècle plus tard et s'est adressée à moi en anglais. J'ignorais qu'il en serait ainsi. Je ne pensais pas que ce fût possible.

J'ai peur de ce vol vers Varsovie. Je ne peux le lui refuser. Ultime souhait ? Ultime voyage ? Je ne puis l'en priver. Mais ai-je le droit de le tuer par sa propre décision ? C'est à moi, maintenant, d'être plus sage. Je connais le risque. H. ne veut pas le connaître. Il n'entend pas ce que lui disent les médecins.

Accès de panique. Je pleure, je vis le pire cauchemar, je reviens à moi pour éprouver cela une fois encore dans quelques heures ou quelques jours, et depuis le début.

Je m'en tirerai. Quoi qu'il arrive il faut que je m'en tire. Il le faut.

Nous, nous voulons vivre, nous voulons prouver au monde que H. est bien-portant et capable de tout. Ainsi, je me distingue vraiment fort peu de lui. Et bien que j'aie peur et que je bataille pour qu'il reste, je l'aiderai pour ce vol. Car je crois, je crois vraiment que cela lui donnera une grande force, la même que celle qui nous a portés tout au long de l'été et de l'automne et qui lui a permis d'attacher ses skis.

Le 8 mars, envol, nuances, couleurs, échos de la frayeur. Encore des haies franchies, comme si notre destin n'était qu'un chemin semé d'obstacles, de défis permanents. Et la peur. Constamment à côté, la peur. Qu'il culbute, qu'il se sente faible, qu'il tombe, qu'il ne supporte pas les variations de pression, et qu'arrivera-t-il s'il perd connaissance ? Je suis informée de chaque éventualité – infarctus, hémorragie, paralysie, nécessité d'atterrir, coûts, décès sur place, transport du corps. Ne pas effectuer ce vol, interdiction de prendre l'avion, interdiction de te laisser le tuer. *Il n'arrivera rien, rien ne peut arriver,* répétait H. *Nous tiendrons bon.* Fauteuil roulant, fauteuil d'invalide jusqu'à l'avion. Metaxa, départ, oppression, avale ta salive, whisky, de plus en plus haut, plus haut, on a éteint le signal « attachez vos ceintures », mais pour votre sécurité nous vous prions de rester attachés, vin, vin blanc de Californie au repas. Il n'est pas permis de s'endormir. Il faut veiller. Nous parlons peu. Il est constamment près de moi, enfant malade et confiant. Petit garçon qui a résolu d'étonner le monde encore une fois. Plus de huit heures de tension. On ne peut s'assoupir. Aucune tranquillité. Il n'y aura pas de tranquillité pour nous.

Cimetière Na Wolce, éloigné et froid. Champs balayés par le vent. Du soleil, mais il fait froid. H. est pris de faiblesse en quittant la voiture. Il est de plus en plus lourd, j'ai de plus en plus de mal à le soutenir. Il ignore ses défaillances passagères. Il faut faire un petit bout de chemin jusqu'au véhicule électrique qui va nous conduire à la tombe des parents. Courte distance, longue route, trottoir verglacé, inégal. Accès difficile sous la bâche en plastique, je fais glisser la fermeture, il y a moins de vent, nous partons.

Passages étroits entre les tombes, neige tassée et blocs de glace émiettés. Le véhicule bringuebale dans les creux et balance dans les virages. Nous parcourons tout un quartier de cette cité des morts. Air glacial, toitures de ces dernières demeures gelées. Nous nous serrons l'un contre l'autre, désarmants et désarmés indispensables. La bonne allée, on ne voit toujours pas leur double tombe, granit rouge, voûte semi-circulaire. Je la cherche parmi les autres sépultures dans la blancheur et la grisaille. La voilà. En chapeau blanc.

Difficile d'approcher, sentier enseveli. Aucun banc. H. tente un instant de vaincre la difficulté. Il n'y parvient pas. Il trébuche, tombe presque à la renverse. Il reste sur le siège arrière de la petite auto pendant que je tente de forcer la neige. Il allume une cigarette, me regarde. A mains nues je m'efforce d'ôter le couvercle de glace masquant la tombe des parents. Je lacère la glace, je me rue sur la dalle, je donne des coups de pied. J'entends Henryk dire à haute voix : *Ils ne m'ont pas encore vu dans cet état. Vous ne m'avez pas vu dans cet état.* Je gratte la glace.

Regardez, c'est elle, elle qui m'a conduit jusqu'à vous, elle qui m'a sauvé la vie. Et vous avez tellement crié lorsque j'ai divorcé : comme vous tempêtiez sous ce couvercle. Regardez-la. C'est elle qui m'a sauvé la vie. Il se lamentait. Je n'ai pas pu allumer de feu. La couronne que nous leur destinions était enfoncée dans la neige. Je n'ai pas dégagé la tête de la mère. Je me suis agenouillée près d'eux. Nous avons pleuré bruyamment. Tous les deux.

Etait-ce pour cela que nous étions venus à Varsovie ?

18 mars 2006

Visite à l'hôpital Western de neurochirurgie. Au bout d'un an. Cette fois aussi une consultation avec le chirurgien nous attend, le même qui a opéré H. une dizaine de mois plus tôt. Même saison, mêmes odeurs dans le vent, même promesse de verdure. Je maîtrise un réflexe de fuite comme nous approchons de la rampe d'accès. Il faut aider H. à descendre de voiture, lentement, avec précaution, l'installer sur un banc, se garer. Revenir. Je le tiens par le bras, je le soutiens. Il marche plus mal, d'un pas mal assuré. Il perd de plus en plus souvent l'équilibre. Il n'y a que devant le médecin qu'il s'efforce de faire preuve d'aisance et d'optimisme. Il se concentre à force de volonté. Se tient droit, lève la tête, promène ses regards alentour et marche droit devant lui. Il lève haut les jambes. Pieds lourds, enflés. Il marche. A grands pas. Ne vacille pas. C'est ce que j'appelle de la bravoure.

Ce même grand hall, comme dans un centre commercial – cafés, restaurants libre-service, beignets, sushis, bagels, pharmacie, point d'information. Près de l'entrée, des distributeurs d'un savon liquide qui doit désinfecter du monde extérieur. Cela seul permet de supposer qu'il ne s'agit pas d'un *shopping mall* mais d'un hôpital. Intérieurs de têtes, de crânes, de cerveaux – leurs clichés, scanners, photos, planches imprimées, les cartes de leurs excroissances, algues et récifs coralliens, sont soigneusement stockés dans des ordinateurs. Au moment opportun ils seront ramenés à la surface en qualité d'objets de réflexion métaphysique... Avec les épouses, les familles ou individuellement. Réflexion sur le temps maintenant compté. Sur la force dont il faut s'armer. Sur le fait que c'est l'unique chance, sans quoi c'est la dégringolade. Sur l'espoir ou, en général – sous ce toit –, l'absence d'espoir.

Nous revenons au bout d'un an. Par nos propres moyens. Sur nos propres jambes. Sauvés. Rescapés. Triomphants ? Une nouvelle fois, le docteur Gentili montre les images sur l'ordinateur. Pendant tous ces mois nous avons eu le temps de nous familiariser avec elles. La modification néoplasmique – une bande claire comme une cicatrice enflée – n'augmente pas. Seul croît le kyste rempli de liquide, boule sombre qui peut devenir dangereuse. Il peut faire éclater le crâne. Pour le moment il ne grossit que de l'ordre d'un millimètre par mois. Il convient de ne pas l'irriter. Il faut attendre et observer. Le docteur Gentili ne propose pas d'opération. On peut respirer. Il n'interviendra que lorsque cela se révélera indispensable. Il n'y a pas lieu de fouiller dans la tête. Ce n'est jamais impunément.

Définition de la tristesse, du regret, de l'abandon, de la perte, du deuil. Symptômes. Exercices de définition. Pleurs – expression de l'émotion, du désespoir, réponse à la douleur, à la tristesse, à la solitude. Histoire des larmes. Les pleureuses professionnelles existent depuis l'Antiquité grecque.

Bons remèdes. C'est arrivé déjà à bien des gens, d'autres ont connu bien pire, chacun a sa portion de souffrance. Songe à l'univers. Il paraît qu'alors c'est moins pénible. Ça ne l'est pas. Soulagement douteux que de se considérer, soi et sa propre douleur, en termes d'éternité.

Denial – réfutation, refus, (dé)négation de la douleur de la perte, négation du conscient. Selon Freud, l'homme se protège ainsi d'une épreuve traumatisante. Il ne la laisse pas accéder au conscient, il en esquive la perception, il nie la perte. L'ego se protège du désespoir.

Elzbieta dit que H. n'a jamais pris conscience qu'il pouvait partir. Il n'a pas pris cette éventualité en considération. Il s'en est tenu à la vie et seulement à la vie. Il voulait revenir à la vie, c'est pourquoi il n'a pas pris congé. Il ne prend pas congé. Il n'envisage pas de partir. Il a choisi le combat, n'admettant pas la défaite. Je pense que c'est pour ça qu'il persévère. Une année a passé depuis l'instant du diagnostic. Une année gagnée.

C'est le dégel, le printemps arrive. J'en sens l'odeur et le goût. Nous les sentons ensemble. Nous sommes ensemble, plus que n'importe quand. Et nous savons nous réjouir de la lumière autrement qu'il y a une dizaine de mois. Nos oiseaux chantent dans nos arbres. Nos crocus sortent de notre terre. Notre vie persévère.

Je ne me rends pas, a promis H. lorsqu'il a entendu le verdict pour la première fois. « Je ne me rends pas », a-t-il répété ensuite plusieurs fois. Après la première opération, une journée plus tard, quand on l'a tiré du lit pour lui apprendre à marcher. Après la deuxième, à laquelle nous ne nous attendions pas, qui l'a terrassé et l'a cloué au lit pour plusieurs semaines. Pas un mot de plainte. Pas l'ombre d'un doute.

Un an a passé, déjà. Nouvelle Pâque, la Résurrection chrétienne. Le printemps est en retard et c'est le 15 avril, le jour où on lui a ouvert la tête pour la première fois. Il y a des siècles.

Ce n'était pas noté. Ça ne l'était pas parce que le verbe n'a pas grandi jusqu'au désespoir, n'a pas été à la hauteur de son rôle, son rôle ancien qui est la signification, qui est de cataloguer les minéraux. Je doute maintenant, au déclin de l'année, d'embrasser cet espace, de haut, de loin, avec le recul de la perte. Les larmes, le cri, la révolte dont il n'a pas été pris note. Nous avions survécu l'un et l'autre. Pas nous. Ensemble. Quels nous ? Lesquels ?

H. s'est adouci. Comme j'ai vite oublié à quel point ça se passait mal lors de ses accès d'agressivité et de fureur. Comme j'ai accueilli tout naturellement ce changement. J'ignore ce qui l'a provoqué. L'ancien H. est revenu, presque le même. Et c'est lui qui nous a acheté un chien, en avril, un petit teckel. Il l'a appelé Lonia. Nous sommes du côté de la vie.

Quelques jours plus tard, il a demandé combien de temps vit un chien. Une dizaine d'années. *Ça veut dire que Lonia me survivra.* Silence. Moi : *Je ne sais pas. Peut-être bien.* Lui, là-dessus : *Je n'ai pas entendu parler de patients avec un glioblastome qui aient vécu si longtemps.*

La vie avec la peur, dans la peur. L'ajournement du verdict n'est pas définitif. J'ignore combien de temps nous avons. Il faut apprécier chaque instant. Le respecter, le fêter. Je n'ai pas su me réjouir. Il me manquait quelque chose. Des forces ? Cette petite bête m'a rendu la joie, une joie simple, ordinaire, quotidienne. Maison et chien, jardin et chien, un membre de la famille. Comme si tout était de nouveau en ordre. Je feins moi-même d'y croire. La consolation dans les yeux d'un chien ?

Samedi de Pâques. Printemps pascal. Il a ressuscité. Promenade à Hyde Park avec Ewa et Lonia. Le monde s'ouvre, respire, se refait à neuf. Le petit chien sur ses courtes pattes étourdi par la multitude des odeurs. Il voit pour la première fois un pré à l'infini et la montagne, l'étang et des canards, et d'autres chiens. Il court avec un enthousiasme canin. Et ensuite il s'effondre sur mes genoux dans un sommeil bien mérité. A la maison, chez lui, au milieu des tulipes. Grosse fatigue, grosse persévérance.

Un an a passé. La roue a tourné. La roue du désespoir, de la peur et du combat. Le monde commence à fondre. D'abord, le soleil a réveillé les oiseaux, les arbres répondent plus lentement. Les prières de la pluie aident les rameaux secs et les bourgeons à peine gonflés. Dans l'air, une promesse. L'espoir. Nous fêtons une année gagnée. Une année arrachée pour la vie.

Il n'y a pas de dernier mot. Il n'y a pas de mots définitifs.

Jours plus longs. Lumière limpide dans mon salon. Derrière la fenêtre, le jardin en ruine à la sortie de l'hiver. Mes – nos – arbres qui refleurissent, notre commune maison et du soleil. Pourquoi a-t-il fallu que « ça » arrive pour que je veuille cette vie commune ? Pour que je la conçoive et m'en persuade, la comprenne et l'accepte comme un grand cadeau. J'aime à en mourir le malade Henryk, plus doux qu'auparavant, plus faible. Mon autrement et indispensable autrement.

Mon Henryk d'avant la maladie est différent de mon Henryk malade. Mais c'est toujours MON HENRYK.

Je veux être ici. Je veux sarcler le jardin et regarder grandir nos arbres. Voir le mélèze devenir chauve et fleurir le poirier blanc et s'empourprer ensuite l'érable. Je veux écouter H. parler du chien de Remarque, de la femme de Nabokov et des voitures ou des femmes de Brycht. L'écouter réciter de mémoire des pages de Roth, des poèmes de Tuwim et *Feu pâle*. Je veux perdre au scrabble avec lui. Non, plus maintenant le scrabble, les lettres sont trop petites, le scrabble appartient au passé. Mais on peut toujours jouer des chansons russes, griller des côtes de porc et accueillir des convives.

Je veux le printemps et un destin qu'il ne fait pas abandonner.

Le temps provisoire de la maladie s'est changé en époque. Les neiges cèdent, l'effondrement de l'hiver et la victoire du printemps sont proches. La prochaine rotation de la terre sous nos pieds. Encore et toujours la terre. Troisième rivage.

Je ne m'étonne de rien. Que la terre se dérobe sous nos pas, qu'une grenade explose entre nos mains, que le ciel nous tombe sur la tête. Je suis prête. Je m'attends à la prochaine explosion. Collapsus, crise, ambulance, signature de l'arrêt de mort. En suspens. Encore en suspens pour un instant.

25 avril 2006

Dans un mois à cette même époque ce sera mon anniversaire. Je ne puis croire que la vie a passé, qu'elle passe. Que les études, la passion, les premiers voyages, les désespoirs, les folies, que tout cela a été. L'amour aussi. Mais maintenant la mort approche. Je ne puis croire à tout ce qui nous est arrivé au cours des derniers mois.

Au-delà de la fenêtre, magnolia rose et poirier blanc en fleurs. Pour la nième fois je lis un passage de *Patrimoine* de Roth. Sur le père. Sur le départ du père. Sur l'homme qui fut un père et qui, aujourd'hui, n'en est plus que le souvenir. Sur la physiologie. Sur l'humiliation de sa propre infirmité. Sur les excréments, les matières fécales, la merde. Sur le patrimoine.

C'est dimanche, fin avril, et la pluie est revenue. Une pluie froide. Lonia refuse de sortir. Le magnolia en face s'est figé à mi-floraison. Avant-hier c'était l'été, aujourd'hui on gèle. Mes amies sont allées au lac. Elles me manquent. Je laisse des nouvelles alarmantes sur tous les répondeurs possibles. Elles appellent. Elles appellent et elles disent exactement ce que je veux entendre. Que je leur suis utile. Elles plaisantent, disent que j'ai une dette à leur égard et qu'elles ont besoin de moi pour leur propre dépression. Elles n'en ont pas encore assez de ma tristesse et de mon ombre. A son retour Ewa promet une longue promenade au bord du lac, d'où l'on aperçoit le troisième rivage.

D'où m'est venu ce sentiment, ou peut-être ce pressentiment du raccourcissement du temps ? Je savais que nous en avions de moins en moins. Après quelle mort, quel enterrement, la vie m'a-t-elle paru si fragile et cassante comme du verre, si chère et tellement inestimable ? Peu importe quand. Ce qui importe peut-être c'est que je ne me suis pas méprise.

Qu'ai-je donc mérité ? Rien. On ne me doit rien.

Mary attire l'attention sur le sens du devoir dont témoigne ma sollicitude à l'égard des personnes âgées. Je me suis occupée de Zena, la méchante marâtre de ma mère, pour laquelle je n'avais jamais rien éprouvé auparavant. J'ignore pourquoi je l'ai fait et d'où m'est venu ce sentiment de ma responsabilité à l'égard de cette vieille femme, à vrai dire une étrangère. Est-ce le sens de la bienséance ou, peut-être, du devoir ? J'admirais son courage dans la solitude et son autodiscipline.

C'est justement Zena qui, à maintes reprises, a énoncé cette phrase pour moi incompréhensible : *Sois bonne pour toi-même.* Que voulait-elle me dire ? *Quoi ? Qu'en penses-tu ?* demande Mary. Je l'ignore. Peut-être pensait-elle qu'il fallait que je trouve du temps pour des sonates de violon, pour Mozart et Szymanowski, peut-être pour des couchers de soleil sur l'eau ou bien pour des chemins dans l'inconnu. Pour l'étude de Kant et pour des fraises des bois à la crème. Sans me sentir coupable. D'où savait-elle que je me sentais coupable ?

Mes amis étaient plus vieux que moi. J'ai donc opté inconsciemment pour le service de la maladie. J'ai choisi essentiellement d'être avec eux par le passé, sans nul pressentiment de l'adieu. Sans pressentiment, pendant des années. Ensuite, quand le monde est devenu pour eux moins visible, quand ils sont devenus infirmes et qu'ils ont perdu leurs points d'appui et de repère, je me suis efforcée d'être davantage avec eux. Je savais alors que je les accompagnerais plus loin que je ne pourrais moi-même aller. J'ai tendu les mains et les bras vers leurs mondes et leurs mémoires. Là où ils s'en sont allés sans droit de retour je ne puis leur tenir compagnie.

Je veux aller avec H.

La mort, la guerre, l'extermination des Juifs. Mon chemin vers eux, vers leur épreuve, est une conséquence logique du destin. Je dois être punie pour avoir été absente LÀ-BAS et ALORS. J'ignore pourquoi, mais je sais qu'il doit en être ainsi. Quoi qu'il m'arrive ici et en ce monde, la source en est la généalogie de la guerre.

Olga dit que mon exhortation à manger témoigne d'une âme juive.

H. dit que je me définis le plus nettement et le plus authentiquement comme un écrivain.

Ma sorcière des huiles essentielles dit que nous ne mourons pas, que notre énergie perdure, toujours, peut-être dans le futur serons-nous un arbre ou peut-être le vent ? L'écho d'une ombre.

Moi je dis qu'il n'est pas de monde sans H.

H. dort de plus en plus.

Les armoires de H. sont pleines de vêtements : de chemises et de pantalons, de costumes et de chandails, de chaussures coûteuses et de cravates. Style irréprochable, soies et peaux, Armani et Gucci. Il aimait « paraître », en cela aussi il séduisait. Le corps malade éprouve des difficultés à s'adapter à l'ancienne élégance. Il n'est plus ce garçon à la James Dean avec ses gadgets des premières pages des magazines de mode. H. a cessé d'y prêter attention. Il ne laisse rien paraître de ce que cette perte lui a coûté. Il ne le voit pas ? Ne veut pas le voir ?

C'est ce grand changement dans le malade qui fait honte et peur aux autres.

Les corticoïdes déforment le visage, le ventre gonfle bizarrement par excès de nourriture ou autres régimes énergétiques. Les pieds enflent comme une pâte au levain. Le cancer a pris le pouvoir, s'est emparé des formes. Nous portons des blazers de sport amples, des pantalons flottants, des chaussures larges.

Le vêtement de ville insulte l'ancienne splendeur. Tu seras drapé dans un linceul. Ton asile.

Kaddish (kaddich, qaddich – hébr., étym. araméenne : saint).

C'est l'une des prières les plus importantes du judaïsme – aucun office juif ne peut se passer d'elle. Le kaddish assure de la soumission à la volonté du Très-Haut, loue son nom, exprime l'espoir d'un prompt établissement du Royaume de Dieu. On considère souvent le kaddish, à tort, comme la prière des morts.

La récitation du kaddish exige la présence du *minyan*, c'est-à-dire de dix hommes. Il lie les parties distinctes de l'office divin, d'ordinaire il est entonné par le chantre, à moins que le kaddish ne soit récité par les personnes qui suivent un deuil.

Le kaddish a pris naissance aux temps talmudiques, mais c'est au XIIIe siècle, du fait des croisades, qu'on a commencé à le réciter aussi lors des enterrements. En définitive il a pris forme au XVIIIe siècle, devenant l'une des principales prières de la liturgie, récité à la fin des sermons ou des lectures.

L'une des variantes du kaddish est le kaddish des personnes en deuil, c'est-à-dire le kaddish des orphelins. A partir du XVe siècle, il a été récité par le fils du défunt – quotidiennement, pendant onze mois. Plus tard : à chaque anniversaire de sa mort. Pourquoi pendant onze mois et pas pendant l'année entière ? Cet usage est né de la conviction qu'après la mort l'âme humaine a besoin de toute l'année pour être totalement purifiée si elle a appartenu à un homme particulièrement indigne. C'est également pourquoi on récitait le kaddish pendant onze mois seulement. De cette manière on montrait que le défunt n'était pas un trop grand pécheur.

En soi, le kaddish ne comporte pas de rapport direct avec la mort.

Magnifié et sanctifié soit le Grand Nom
dans le monde qu'Il a créé selon Sa volonté
et puisse-t-Il établir Son royaume
puisse Sa salvation fleurir et qu'Il rapproche Son oint
de votre vivant et de vos jours
et des jours de toute la Maison d'Israël
promptement et dans un temps proche ; et dites Amen.
Puisse Son Grand Nom être béni
à jamais et dans tous les temps des mondes.
Béni et loué et glorifié et exalté,
et élevé et vénéré et élevé et loué
soit le Nom du Saint Transcendant, béni soit-Il
au-dessus de toutes les bénédictions
et cantiques, et louanges et consolations
qui sont dites dans le monde ; et dites Amen.

Je ne veux pas parler de la mort. Je veux parler de la vie.

Ombre étirée de la mort. Dans la précipitation propre à la civilisation du XXIe siècle, nous refusons l'attention à la mort. Nous l'esquivons pudiquement, nous la voilons, nous en contestons l'existence et par là même le fait qu'elle pourrait nous atteindre. Nous toucher. Nous concerner. Nous n'acceptons pas de réfléchir à la mort, de crainte qu'elle ne nous diminue, qu'elle ne nous souille/contamine par le chagrin, ne nous désarme par quelque infirmité, qu'elle ne triomphe par l'ultime.

Nous ne sommes pas préparés au face à face avec la mort. Nous ne savons pas nous comporter en sa présence. Nous ignorons ce qu'il faut dire à ceux qui s'en vont. A l'instant ultime nous comprenons que la mort et l'agonie ne sont pas une abstraction. Se mesurer à elles est un grand défi. Qui parfois dépasse nos facultés.

Comment faire front et de quelle manière ? – avec honnêteté, avec dignité (tendresse), avec dévouement. Comment apprendre la vérité de ceux qui s'en vont ? Et de ceux qui restent ? Sa vérité et ma vérité. Nos rôles sont déjà distribués, répartis. Comme le verdict. Si quelqu'un m'en avait parlé quelques années plus tôt je ne l'aurais pas cru.

Je lis. Je lis. Les histoires des autres, notre histoire. Je lis ce qu'on écrit sur de grandes possibilités de gagner en maturité face au verdict et à la mort. Sur le bilan de la vie et sur la manière de traiter ce laps de temps intermédiaire comme essentiel dans l'espace d'une destinée. Pourvu seulement que l'amour le renforce. C'est un temps de tragédie mais aussi de force, d'admiration de l'amour et du courage. C'est une histoire de courage. Avant tout.

S'installer dans la maladie, l'apprivoiser. Faire connaissance avec les pièges et les lieux du sommeil. Les replis du silence et de l'inquiétude. Saisir le rythme de la détente et de la lassitude. Le tranchant émoussé du désespoir, les lourdes paupières de la nuit, les prévisions matinales. Constamment ensemble, la maladie et nous, présence permanente, vorace. On ne peut s'en défaire. Témoins de soi-même. Pas le choix.

Le douzième mois de lutte est passé. Dans six jours le cycle fera une pirouette, les saisons commenceront à se répéter. Peur, panique, les larmes reviendront comme un refrain et se mêleront aux précédentes.

Ana parle de la maladie de H. comme d'un voyage. Le voyage du fleuve qui aboutit finalement à la mer. Nous rencontrons divers paysages en chemin, nous progressons plus vite ou plus lentement, avec des méandres et des lacets, avec vue sur la forêt ou sur la prairie, sur la ville ou sur l'enfer, avec du vent et de la pluie. Nous voguons. Tant que nous voguons nous sommes exposés au danger et aux embûches, mais nous persévérons aussi. Lorsque notre temps a passé nous touchons au terme, la mer nous engloutit.

Nous avons été sauvés. Pour le moment, nous avons survécu l'un et l'autre à cette tempête. Et à la mort. Et comme les rescapés de la guerre, nous n'avons pas vécu plus grande tragédie dans notre vie. Rien de pareil ne nous a frappés, n'a façonné le reste de notre destin. Jamais nous ne nous en libérerons, et aucun lendemain ne sera exempt de l'écho de ces jours-là. De la douleur, de l'espoir, du désespoir. Et moi aussi, un jour, je resterai avec cela. Jamais plus comme avant.

La mort ne peut être l'essence de la vie. Ni l'attente de la mort. Ni la peur de la mort. Il faut établir une autre force en soi.

J'aurais voulu que ma vie suive une autre direction, n'importe laquelle.

Elle n'en a pris aucune.

Je suis prise au piège. Entre la faute et le châtiment, l'un et l'autre immérités. Je m'agite, me cognant aux murs. Moi je ne compte pas. Je ne puis compter ; il n'y a plus de place, maintenant, pour deux saluts. J'ai abandonné le terrain. Je suis au service de sa vie.

Est-ce déjà le quatrième round de la chimio ou le cinquième ? Je perds le compte. Il y a tant de mois, déjà, que nous luttons.

Je ne sais pas construire le temps qui est le nôtre. J'ignore si nous prenons congé, si nous allons survivre et combien de temps. Nous n'avons pas de projets.

Il faut trouver un sens à ce qui se passe. C'est ce qu'enseignent les bouddhistes. Ils me commandent de bâtir sur la douleur et la peur et le sang. Ils s'efforcent de me convaincre que je devrais être reconnaissante à la vie qui va, bien qu'elle soit un désespoir. Les blessures aussi, il faut les regarder en face. Elles doivent avoir une signification. Elles doivent avoir une valeur. Je dois être reconnaissante à chaque instant. De chaque inaccomplissement accompli. Des poèmes non écrits. De la journée endurée. Du fait que H. est épuisé après une nouvelle dose de poison. Du fait qu'il y a le poison. Du fait qu'il existe. Il existe. Je suis là. Nous sommes là.

Lonia perd ses dents de lait. Il mâche ce qu'il trouve et qu'il rapporte de la chasse. Il est édenté. Encore plus drôle. Toujours assez petit pour rester sur mes genoux quand j'écris. Avec H. il est délicat et affectueux. Il s'endort sur son cou, l'emmitoufle comme un châle.

H. est un homme à chats, il se réjouit que notre chien soit presque aussi agréable qu'un chat. Lonia ne le lâche pas. Il comprend quelle est sa mission.

A la fin, d'avril coup de fil de l'assistance hospitalière. Il faut restituer le lit. C'est un service rendu aux patients sur le point de mourir. Mais ça se prolonge. Le délai est passé. Le patient est vivant. Il faut restituer le lit médicalisé et le matelas anti-escarres ou les payer. Le prix d'une voiture milieu de gamme. Je hurle longtemps au téléphone.

Comme je savais bien peu de chose sur moi-même jusqu'à présent. Comme ma douleur avait peu de sens.

Comme j'étais heureuse sans le savoir et sans savoir qu'on peut vivre si longtemps dans une situation impossible. On le peut. C'est sans issue. Il le faut. Non, je ne suis pas fière de ce que je sais de moi. Non, le fait que je m'en sors, que je ne me traîne pas sans ressort et en pleurs et n'exige pas d'assistance médicale, rien de cela ne me donne des ailes. Chaque bribe de son mal me fait mal. Je n'accepte aucun de ses derniers instants. Je ne veux pas accepter la séparation. Je ne veux rien comprendre. Sauvés. L'un et l'autre. L'un et l'autre nous avons cela dans nos gènes, nous le tenons de nos parents et de nos grands-parents. Maudits rescapés. Le printemps commence à respirer. Et la terre. Je ne parviens pas à vivre avec cette sentence. Je ne sais pas l'abroger. Ne pas vivre ? H. a dit aujourd'hui qu'il ne veut pas et n'a jamais voulu se tuer, il est trop curieux de ce qu'apportera l'aube à venir.

Ewa S. dit que nous sommes maintenant une institution vouée à exaucer les vœux.

26 juin 2006, expédition à Bearchy Lake. La deuxième. La dernière.

Le fauteuil roulant que tu n'as pas voulu accepter pendant longtemps est devenu aujourd'hui un accessoire indispensable. C'est difficile pour moi toute seule de le mettre dans la voiture et ensuite de l'enlever, de t'extraire de l'auto, de t'aider à t'asseoir. Les amis vont m'aider.

Tu veux aller au bord du lac. Tu veux voir la forêt. Je redoute cette longue route vers le nord, la maison d'été d'Ewa et Zbyszek (ici cela s'appelle un *cottage* et c'est le lieu de pèlerinage du week-end pour tout Canadien qui se respecte) est loin, à près de quatre heures de route de Toronto. Pour toi, rester assis dans la même position pendant tout ce temps n'est pas confortable. Pour moi toute seule une route pareille est fatigante. Nous empaquetons les provisions, les médicaments, l'appareillage sanitaire indispensable. Nous sommes soucieux de ce que sera la route.

Nous roulons. Sans fin. Tu dors un peu. Tu récites plus rarement du Simonov et du Broniewski. Ta tête s'affaisse. Mais, comme toujours, tu es monstrueusement brave. Aucune plainte. Plus c'est loin, plus c'est difficile. Nous arrivons. Je dis quelque chose concernant le dernier virage.

En descendant tu t'affaisses sur le sol. Il en est toujours ainsi maintenant lorsque tu restes longtemps sans changer de position. Tu l'ignores complètement. Comme la paralysie des jambes, comme les vertiges.

Le soir, après avoir allumé un feu nous faisons cuire des pommes de terre et des saucisses. Tu parles des camps scouts en Pologne où tu ne voulais pas réciter la prière. Nous faisons un bridge, tu y vois encore. De moins en moins. Mais tu respires la forêt, les pins et les sapins, les érables du Canada. Les odeurs rendent le chien fou de bonheur. Tu dors un peu pendant la nuit.

Le lendemain, en route pour le lac. C'est vider l'océan à la petite cuiller.

La maison est sur une hauteur. J'aperçois la surface de l'eau à travers les arbres. A pic, à l'aveuglette. Nous avons une tâche, nous avons un but. Te transporter jusque là-bas, avec le fauteuil ou en fauteuil. Tu y tiens beaucoup.

De la maison au lac, du haut en bas il y a cent trente-six pas. Le fauteuil est maniable et nous sommes forts. Tes jambes, moins. Il faut imaginer une technique spéciale. Nous n'avons ni expérience ni entraînement. Fixer les étapes n'est pas difficile. La montagne a des failles en terrasse, comme des plates-formes successives qui descendent en dessinant des méandres. De l'arrière de la maison jusqu'au niveau du sol, quelques marches. S'asseoir. Ensuite, vingt-trois pas en légère descente. Ça va encore, de la mousse. Et la première terrasse, en pente, neuf pas. Et encore plus loin, jusqu'à dix-neuf pas. (Non, jamais je ne les avais comptés auparavant. Jamais, auparavant, faire un pas ne m'avait paru constituer un tel défi, une telle prouesse, une entreprise magique qui témoigne de la vie.) Le sol n'est pas un sol facile, gavé de racines, ses concrétions internes émergent par en dessous, passent sous nos pieds, gênent le travail des roues de notre équipage. Tes pas, fauteuil, fauteuil, racine.

Nous trébuchons. Tous et constamment. Toi, qui triomphes de toi-même, et nous qui aidons. Plus bas, et encore plus bas, douze nouveaux pas. Stop. Nous sommes en sueur. Nous nous essuyons le front et te faisons rire. Cela aussi absorbe beaucoup d'énergie. Nous nous en tirons, tu sais que nous nous en tirons. Doucement, tout doucement. Déjà presque la moitié du chemin (j'exagère dans l'optimisme stakhanovien pour te réconforter). Terrasse suivante en forêt, plateau suivant, hauts arbres sur leurs socles de racines. Terrasse parallèle au lac, empêtrés dans nos propres pas, en nous-mêmes, dans les interstices entre les racines et dans leurs entrelacs. Danger. Jamais je n'avais songé à cela. On ne sait pas ce que peut coûter un pas. Aucune portion de sentier n'est exempte d'embûches. La position des arbres offre un autre type d'obstacle encore plus sournois, un entrelacs de basses branches.

Maintenant on voit l'eau. On la voyait tout le temps mais elle est plus proche. On peut maintenant s'en remettre à son autorité. Nous sommes portés vers elle. De plus en plus nettement.

Combien de temps déjà cela nous a-t-il pris? Une dizaine de minutes, une heure, deux? Je n'en ai aucune idée. Je ne pense pas au temps. Je ne pense pas. Je n'ai aucun élément narratif en tête. Il y a toi et la nécessité de te conduire au bord de l'eau.

Un ponton mobile sur l'eau, instable. La verdure majestueuse des conifères cerne le lac aux Bouleaux.

Je suis à la pêche – j'entends ta voix réjouie, comme si c'était la chose la plus naturelle qui soit sous le soleil. Tu parles au téléphone avec ton ami de Varsovie. Le fauteuil (des freins géniaux) est comme incrusté dans le ponton agité. Tu lances l'hameçon. Tu le lances vraiment. Appât, fil, élan. Bouchon. A la pêche. Conjuration du réel.

Pièges de la terre. En bas, lassitude. Ascension impossible par les méandres, les terrasses. Vers le haut, vers le haut. La montagne n'en finit pas. Jonchée d'aiguilles, d'écorces, de feuilles, de terre. Joubarbe, mousse. Serpents qui saisissent les pieds de toutes parts, et qui serrent fort, et plus fort encore. Ascension parmi les fougères. Impossible de franchir cette montagne. Secours. Sous le couvert de la forêt, avec des ajours de soleil. Le soleil – unique témoin, muet. Vaincre la montagne. Se vaincre soi.

Pire. Encore pire. Le pire ?

Les médecins dissuadent formellement de quitter la ville. Le danger nous menace à chaque instant. Mais toi, il te faut prendre congé de la Pologne. Une fois encore, tu insistes. Risque accru de catastrophe. Juillet torride. Nouvelle confrontation avec l'impossible.

La tête me tourne encore, en permanence, de ce kaléidoscope de gens, de leurs paroles cordiales, paroles de réconfort, d'admiration, d'amitié. H. entouré d'une telle tendresse, tellement heureux dans ce cocon polonais. Au café voisin des éditions Czytelnik il obtient ses canapés favoris avec tartare ou œuf, ses boulettes de gruau de sarrasin, une viande sauce fenouil, des tripes. C'est aussi vers eux et pour eux qu'il est revenu à Varsovie et à la vie. Il ne capitule pas, pas si aisément, pas sans faire ses adieux.

Là-bas, sur place, nous avons vécu l'un et l'autre entre la joie et le désespoir. Il n'a pas délaissé le Czytelnik un seul jour. Il se rasait et s'habillait. Têtu, discipliné bien que son corps rechigne et qu'il n'ait plus de forces. Prêt à sortir, prêt à recevoir les amis. Il leur offrait café et cognac comme jadis. Il parlait un peu plus de lui qu'autrefois, s'informait moins de leurs affaires. Il finissait tout de même, à contrecœur, épuisé, par se laisser reconduire à la maison. Il perdait plusieurs fois l'équilibre en traversant la salle. Des mains secourables se tendaient de toutes parts. Des camarades le raccompagnaient en avançant une chaise tous les quelques pas. Ils se mettaient à rire tous ensemble, racontaient des blagues. Sa présence là-bas, la présence d'un rescapé, suscitait l'émotion même chez ceux à qui ce mot semblait étranger. H. régnait dans la majesté de la mort.

Pour moi il n'y a pas eu un instant de soulagement, constamment tendue, prête au revers. Chaque moment est corrompu par la crainte. Que va-t-il se passer, que va-t-il encore se passer, quel incendie va-t-il me falloir éteindre, quelle explosion subir ? Devant mon père et sa famille je m'abandonnais totalement. Devant mon père, qui est de nouveau mon père grâce à H. Il me l'a rendu. Il a réparé ce qu'il a pu et il lui est devenu proche lui aussi. J'aurais voulu un instant de calme. Etre l'enfant qui ne sait encore rien de tout cela.

Mon père m'émeut. Mon père à moi – ni jeune ni bien-portant – s'occupe de H. avec autant de dévouement que s'il veillait sur son fils. Est-ce une marque d'amour pour moi ou pour lui ? Je l'ignore. Je sens qu'il partage mon désespoir et je lui en suis reconnaissante.

Il va acheter des pommes de terre nouvelles et du fenouil au marché, cherche du lait caillé car H. l'en a prié avant même d'avoir franchi l'océan. Il se fait accompagner par sa femme dont les raviolis sont sans égal, tout comme sa touche culinaire polonaise. Ils célèbrent des rituels du quotidien qui me sont inaccessibles. Autrement je ne sais comment je pourrais sentir leur dévouement. En cela ils sont grands.

Mon père a beaucoup parlé avec H. au téléphone. Et il a constamment entretenu sa foi dans le succès de son entreprise. Il l'a prié de venir. Il a eu son rôle dans cette décision. J'en suis sûre et certaine.

J'ai des sœurs, je sens leur présence dans ce soutien. J'ai soudain une famille.

T. est venu lire à H. un poème en russe de la grande époque du réalisme socialiste sur une télégraphiste amoureuse de Staline. H. était allongé sur le canapé et son repas refroidissait. T. récitait sans fin, H. en était tout heureux. De retour à Toronto il a lu plusieurs fois ce poème, à moi, aux amis et à l'infirmière russe qui venait lui faire des piqûres. En alternance avec un poème sur un petit chien et Simonov :

Quand fidèle à ma promesse,
Revenant un soir,

Je narguerai la mort, laisse
Dire « Le veinard! »
Ceux qui sont las de l'attente
Ne sauront point, va,
Que des flammes dévorantes
Ton cœur me sauva.

Chacun apportait ce qu'il avait – du cœur, un mot, des chocolats. Chacun voulait donner quelque chose – une étreinte, un sourire, une parole. Un signe, une caresse, le souvenir. Ils arrivaient de partout. De Paris et de Stockholm, de Göteborg et de Cracovie, d'Helsinki et de Londres. De New York et de Boston. Pour une poignée de main, pour un adieu. Ils savaient, ils comprenaient que c'était la dernière fois.

Nous deux, seuls, pourrons comprendre
De quelle façon
J'ai survécu pour me rendre
Dans notre maison.

J'avais su comprendre. Je n'ai pas su être à ta hauteur.

A Lazienki. Tu voudrais aller te promener dans le parc de Lazienki. « Aller » ne signifie plus maintenant que « se rendre à », mais ne nous préoccupons pas de détails phraséologiques. C'est par une matinée torride de juillet. Les petites allées dont tu te souviens depuis l'enfance, celles des promenades dominicales avec ton père puis des rendez-vous avec les filles, sont mal en point. Toi aussi. Tu es assis dans ton fauteuil, en appui sur ta main droite – ces temps-ci c'est ta pose de tous les jours, le dénominateur commun de la fatigue et de l'étonnement. Tu observes le monde de loin, d'un endroit auquel je n'ai pas accès. Tu hoches la tête. Dans ce geste je lis du regret, mais peut-être n'est-ce que la confirmation de l'inéluctable.

Busia est avec nous, ton amie de jeunesse, elle était de ceux qui ont pris congé de toi à la gare de Gdansk, à Varsovie, il y a près de quarante ans. Vous n'évoquez pas le passé mais il vous lie et confère à votre parcours des significations qui me font peur.

Vous étiez beaux. Vous l'êtes. Comment pourrait-il en être autrement. L'épreuve confère aux visages la sagesse singulière de la lassitude.

L'accès de Lazienki est interdit aux chiens. Tu tiens Lonia sur tes genoux et le présentes comme un écureuil canadien. *(Ceux-là sont noirs parce qu'ils fricotent avec les rats.)* Tu ris, tu ris encore et toujours.

Le 24 juillet 2006, nous avons donné une réception à l'occasion de notre premier anniversaire de mariage. Ultime réception, ultime anniversaire. Personne n'en doutait. Multitude de fleurs et de tendresse.

Tu étais assis sur le balcon, sous le marronnier, tu fumais des cigarettes. Difficile, à l'expression de ton visage (enflé, le visage d'un autre et triste), de deviner ce que tu ressens et ce que tu sais vraiment. Il y avait toujours quelqu'un pour venir s'asseoir à côté de toi. Et nous les avions TOUS invités. Les témoins de ta vie défilaient devant toi en ordre dispersé, en fonction d'arrangements divers. J'ignore jusqu'à quel point tu étais en mesure de distinguer qui était qui. D'où ils arrivaient – de Konstancin, de Saska Kepa, des bords de la Seine, d'un proche septentrion, de Mars, du bac à sable, de la politique, de la faculté ? Des pages d'un livre, d'une note, d'un rêve, de quelle scène, de quel cercle d'initiation ?

Tu posais volontiers pour les photos, les blagues de votre passé commun devenues des anecdotes te faisaient rire. Un lustre que tu regardais avec J. sous un angle particulier, une baleine gigantesque montrée dans un cirque et à laquelle vous aviez donné le nom d'un camarade – Goliat –, les débordements érotiques à Zakopane aux côtés d'un auteur dramatique connu, promis à un grand avenir.

On te pressait contre soi, on te chuchotait des choses à l'oreille, chacun tentait de laisser quelque trace.

Nous nous sommes amusés plus longtemps que tu n'étais en mesure de nous tenir compagnie. Car il paraît que la vie est plus forte. Olek veillait sur ton sommeil.

25 juillet 2006

Comment sommes-nous, ensemble et chacun en particulier, après cette victoire ?

Lui, triomphant. Moi, lasse et sûre que ce n'est pas la fin du combat.

Collapsus en quittant l'avion. Il n'avait ni mangé ni bu pendant la plus grande partie du voyage. Un hoquet permanent le torturait depuis quelques jours. Tension faible. Nous sortons les derniers.

La joie des amis à l'aéroport de Toronto et notre commune euphorie n'ont duré qu'un instant. Il est faible, il parle à peine. Ce n'est qu'une faiblesse. Un prix modeste dans la balance de la satisfaction d'un désir.

Il avait raison.

Après le retour à la maison, transporté sur son lit médicalisé il s'est endormi. Il s'est endormi ou il a perdu connaissance ? Pendant plusieurs heures, il n'a pas été possible de le réveiller. Il délirait. Nous avons appelé une ambulance. Il est alors revenu à lui. Il a catégoriquement refusé d'aller à l'hôpital. Les médecins ont prié, menacé. Finalement il a signé un papier attestant qu'il savait ce qu'il faisait. Moi aussi j'ai dû signer que je comprenais que cela pouvait signifier sa mort. Toujours à nos côtés, sans tarif réduit, fidèle, la mort ne le lâche pas.

Nous sommes morts le 16 septembre 2006 à 16 h 32.

Épilogue

J'ignore où tu es maintenant.

J'ignore comment arriver jusqu'à toi.

Comment imaginer cet espace – ces champs, ce pré – inaccessible à mes paroles, à mes lettres et à mes mains. Je veux te toucher. Je veux sentir ta chaleur. Je veux inverser le cours du destin.

Nos avons dansé avec Cohen en allant vers la mort. Jusqu'aux confins de l'amour. Tous deux.

La musique à fond. Nos chansons dans ta traduction. Je suis à toi. *I am your man. Dance me through the end of love/life.* Nous avons pris congé de la vie. De la vie, non de l'amour.

De belles infirmières sensibles de la Jamaïque, humbles servantes des derniers devoirs, ont chanté avec nous. Elles t'ont lavé, pansé, rasé, car tu ne peux partir là-bas avec une barbe de deux jours, elles t'ont massé les pieds, donné à boire, elles ont remis ton corps en ordre. La perfusion remplit charitablement sa fonction alimentaire. Liquides, remèdes, anesthésie. Je t'ai tenu dans mes bras. Constamment, une obsession. J'injectais de la morphine, de plus en plus souvent, avec de plus en plus d'assurance. J'embrassais ton visage. Je te parlais.

Je n'ai pas cessé de te parler, bien que depuis plusieurs semaines tu ne répondais pas. Tu étais en retrait, tu avais renoncé au combat. Je l'avais compris. Ils ne le comprenaient pas tous. Avides de toi, de ta présence malgré tout, ils ne te laissaient aucun repos. Ils exigeaient, ils exigeaient sans cesse – mobilisation et contre-attaque.

J'ai fermé la porte de notre maison, la porte jusqu'alors grande ouverte. Le chaos du désespoir d'autrui ravageait nos derniers instants. En fin de compte mes larmes exigeaient la solitude. Nous résolvions l'ultime rébus.

Tu as cessé de parler alors que tu en étais encore capable. Avant de t'affaisser dans le sommeil. Tu ne voulais pas parler. Il t'était trop pénible d'avouer que tu savais. De t'avouer à toi-même et de nous avouer que nous avions perdu, que nous ne nous en tirerions pas, que ce quelque chose était plus fort.

Tu avais été puissant dans le combat. Tant de mois. Jusqu'à l'abdication finale. J'ai accueilli ta décision avec respect et admiration. J'ai senti combien tes forces étaient chétives, tellement différentes de ce qu'elles avaient été jusqu'alors. J'ai estimé qu'il fallait te soutenir, cette fois dans la résignation. Te permettre de renoncer. Contre l'avis de bien des gens. Cela a brisé l'homogénéité de notre groupe de soutien.

J'en ai été punie, mais je sais ce que tu voulais. Et c'était toi l'essentiel.

Ta mort était un acte de notre amour.

Dans la nuit qui a précédé ta mort quelqu'un a jeté un caillou contre la fenêtre. Le verre a volé en éclats. J'ai senti qu'il se passait quelque chose de mauvais. J'ai eu l'impression de me retrouver dans l'Allemagne nazie pendant la Nuit de Cristal.

Tu n'as plus vécu ensuite que pendant une dizaine d'heures.

C'était le samedi. Tu avais de la fièvre, et puis tes pieds sont devenus de plus en plus froids. La terre se refroidissait. Tu respirais avec peine. Et puis ton visage s'est adouci. Nous avons eu beaucoup de temps pour prendre congé. On est venu te chercher au crépuscule.

Je veux rester ici. Je veux rester dans l'espace de ta maladie et des derniers mois de notre vie. Je veux être avec ceux qui en ont été les témoins. Chaque mois nous nous retrouvons dans notre maison. Nous sommes avec toi. Et toi aussi tu es avec nous. J'ai beaucoup de cheveux gris. Mon chien d'un an grisonne aussi. Nous t'attendons. Attends-nous.

Je tiens à remercier notre amie Malgorzata Smoray-Goldberg pour le soin qu'elle a apporté à la relecture de cette traduction.

Cet ouvrage a été composé et imprimé par

Mesnil-sur-l'Estrée

pour le compte des Éditions Grasset
en octobre 2009

Dépôt légal : octobre 2009
N° d'édition : 15958 – N° d'impression : 94370
Imprimé en France